FOLIO POLICIER

Georges Flipo

La commissaire n'aime point les vers

Une enquête de la commissaire Viviane Lancier

La Table Ronde

Georges Flipo s'est fait connaître en écrivant pour l'émission « Les petits polars » sur Radio Bleu. Depuis *La Diablada* en 2004, il a publié plusieurs livres dont *Qui comme Ulysse*, *Le Vertige des auteurs*, *Le film va faire un malheur*. En 2011 est parue aux Éditions de La Table Ronde une nouvelle enquête de Viviane Lancier : *La commissaire n'a point l'esprit club*.

Quand l'opinion devient un tribunal, on quitte le forum de la délibération pour une sorte d'arène où tout le monde se marre et souhaite que le feuilleton se poursuive…

ALAIN FINKIELKRAUT,
débat avec Jacques Julliard
(*Le Figaro*, 10 mars 2008).

CHAPITRE 1

Lundi 21 janvier

COMMISSAIRE VIVIANE LANCIER
3e DIVISION DE LA POLICE JUDICIAIRE, PARIS

Le petit panneau était visible de loin, dans tout l'open space, quand la porte de son bureau était close. Il était supposé affirmer un territoire et une fonction hiérarchique, mais, pour les hommes de Viviane, c'était le contraire : quand la porte était fermée, ils savaient que ce n'était plus un bureau, c'était son boudoir. Elle était alors un peu moins chef, un peu plus femme.

Cela n'arrivait que par brèves séquences dans la journée. À l'heure des repas, par exemple — heure qui durait rarement plus de vingt minutes. Ce lundi, quinze avaient suffi et c'était beaucoup, vu le menu.

Viviane Lancier, commissaire de la 3e DPJ, déposa, bien au fond de la corbeille, l'emballage de sa barquette de poulet au concombre sauce yaourt, et le cacha sous un journal : le déjeuner d'une femme ne regardait pas ses hommes, ses objectifs intimes encore moins. Elle rangea dans le tiroir le *Beauté Express*, « Après les fêtes, dix régimes qui marchent ». Ce déjeuner basses calories ne lui convenait pas, elle avait encore faim ; heureusement, il lui restait le jeune Monot à se mettre sous la dent. Elle décrocha son téléphone.

— Monot, j'ai lu la déposition que vous avez prise vendredi matin, l'histoire du clochard, quai Conti. Venez me voir.

Elle tenait à ce *vous* envers ses hommes : le *tu*, c'était un truc de téléfilms. Pour moucher un adjoint, rien ne valait un bon *vous*, souriant et glacial. Elle mouchait souvent ses adjoints, ses subordonnés. Tous des hommes, et heureusement : elle aimait dire « Mes hommes », mais ne se voyait pas dire « Mes hommes et mes femmes ».

Des femmes ? Au nom de la très sainte mixité, on avait tenté d'en nommer quelques-unes sous ses ordres. Des gentilles, des teigneuses, des bosseuses, aucune n'avait tenu le coup : dans son équipe, la mixité c'était Viviane. Viviane et ses hommes. La gentille, la teigneuse, la bosseuse, c'était elle. Elle, *la* commissaire : Viviane tenait beaucoup à ce *la*, et se moquait des bons usages.

Elle tourna la tête pour ne pas affronter son reflet dans la fenêtre : à quoi bon se faire mal, puisque tout était à revoir ? Ses cheveux châtain coupés court avaient eu leur charme une paire d'années plus tôt, quand Viviane pesait huit kilos de moins, mais ils étaient devenus ridicules pour une femme de trente-sept ans et soulignaient la bouffissure de son visage où se perdaient ses yeux gris. Tout cela juché sur ce mètre soixante et un auquel elle ne pouvait se résigner. Des talons mi-hauts auraient pu l'aider à tricher, mais, dès qu'elle marchait longtemps, ils lui faisaient mal. Même assis, même couché, son corps lui faisait mal, ses régimes lui faisaient mal, sa vie lui faisait mal, à commencer par son célibat. Il n'y avait que son boulot qui ne lui faisait pas mal. Tout était lié, elle en était certaine : si son métier de commissaire lui en avait laissé le temps, elle aurait pu maigrir et se trouver un style, comme avant. Elle aurait pu plaire aux hommes, même aux beaux. Au jeune Monot, par exemple.

Il était entré. Trop craquant, le lieutenant Augustin Monot, elle n'allait pas le rater. Elle commença à lire la déposition, à voix haute et lasse :

— *Je me nomme Tournu Gérald, né le 28 février 1980 à Bagneux, je suis responsable des livraisons chez Hélio 92, imprimeur à Malakoff...* Géraaald ? Ce ne serait pas plutôt Gérard, votre témoin ? Ça ne vous fait pas tiquer, un livreur né à Bagneux qui s'appelle Gérald ?

Elle leva enfin la tête pour le voir bafouiller, déconfit. Mais il sortit son sourire de chef scout sous la pluie, balança sa longue silhouette, et remit en place la mèche blonde qui cachait ses grands yeux verts.

— Non, commissaire, c'est bien Gérald, je le lui ai fait répéter. D'ailleurs, j'ai trouvé un truc amusant sur internet : Gérard et Gérald, ce n'est pas la même origine. Gérald, ça vient de l'allemand, *ger*, « lance », et *wald*, « chef », *ger-wald*, celui qui gouverne avec sa lance. Tandis que Gérard, ce sont les Normands qui l'ont importé d'Angleterre au XIe siècle. C'est bien plus tard qu'on les a associés. C'est drôle, hein !

Elle haussa les épaules et le lieutenant Monot conclut très vite :

— Enfin, je dis ça…

— Eh bien, ne le dites pas. Vous êtes flic, pas conférencier. Et attendez, je vais vous en trouver d'autres, des trucs amusants.

Elle lut à haute voix :

— *Ce vendredi 18 janvier vers onze heures, je revenais avec mon « partner », d'une livraison de brochures rue de Turbigo.* Ah bon, ils disent un partner, maintenant ? Il est gay, votre Gérald ?

Elle jeta brièvement un regard scrutateur, histoire de le situer. Mais le lieutenant lui renvoya exactement le même regard.

— Le partner, c'est la camionnette Peugeot, vous savez…

— Ah oui, bien sûr… *J'empruntais le Pont-Neuf, presque désert tant le froid était vif, pour gagner la rive gauche quand, devant moi, sur le trottoir, mon attention fut attirée par deux individus au comportement suspect.* Il a vraiment parlé comme ça, votre Gérald Tantlefroidétaitvif ? Je vous l'ai déjà dit, il faut prendre une déposition, pas la récrire. C'est un boulot de dactylo, pas de littéraire. Compris, Monot ?

Le lieutenant hocha la tête, piteux. Il était trop mignon, le pauvre chéri, il donnait envie de le consoler contre soi, de le serrer bien fort. Elle continua :

— *Tous deux se dirigeaient vers le quai Conti. Le premier était plutôt âgé, et semblait en état d'ébriété prononcé, à en juger par sa démarche.* Prononcé, à en juger… pff ! *Il portait à l'épaule une besace qu'il tenait contre lui. Il était suivi de près par un jeune, de taille moyenne, affublé…* affublé ! *d'un pantalon de jogging et d'une veste dont la capuche lui couvrait la tête. Le jeune marchait souplement, à la façon d'un prédateur.* Un pré-da-teur ? Le témoin a dit ça ?

— Non, commissaire, il a mimé la démarche ; j'ai juste trouvé les mots pour la décrire.

Monot crut bon de mimer à son tour le pas du tigre pour appuyer ses dires. Viviane le regarda atterrée : c'était la première fois qu'un de ses adjoints se prenait pour un félin. Mais ça lui allait bien, il fallait le reconnaître.

— *Ils venaient de passer le square du Vert-Galant, quand tout s'est enchaîné très vite : le jeune a bondi sur le premier et a tenté de lui arracher la besace. Le vieux s'est agrippé et le jeune l'a traîné plusieurs mètres sur le trottoir, la tête du vieux a violemment heurté l'angle de l'embase d'un réverbère. J'ai stoppé, et je lui ai crié « Lâche-le ! »* — vous êtes sûr qu'il n'a pas ajouté « vil gredin », votre Gérald ? — *et le jeune s'est enfui. Je me suis occupé du vieux qui semblait sonné. Il s'est relevé, a serré sa besace contre lui, a bafouillé « Mes cent balles, mes cent balles ! » ; il a marché quelques mètres en titubant et s'est écroulé à l'angle du quai Conti. J'ai fait reculer les curieux et, avec mon portable, j'ai appelé les secours. Un policier qui passait par là…* le policier, c'est vous, c'est ça ? *m'a aidé à le déplacer sur le bord du quai pour faciliter l'intervention des pompiers : ils sont venus immédiatement de la caserne toute proche, et l'ont emporté à l'hôpital. Le policier m'a proposé de prendre mon témoignage au café du square et...* bla bla bla… *lecture faite, persiste et signe.*

Elle fixa Monot droit dans les yeux. Des doux yeux verts qui faisaient fondre.

— Un témoignage au bistrot, c'est déjà peu banal. Mais quand il est tapé en Times corps 12, et sorti sur imprimante laser, ça devient très fort.

— Le témoignage au bistrot, commissaire, c'est autorisé par la procédure. Mais je l'avais pris et fait signer sur une nappe en papier, ça ne faisait pas sérieux. Alors, une fois rentré au commissariat, je l'ai retapé proprement.

— Et la signature du témoin ?

— J'ai fait un petit gribouillis.

Il s'arrêta soudain, perturbé par la simplicité de son propos.

— Oui, bien sûr, devant un juge, ça perd de sa valeur, mais j'ai gardé la nappe.

— De toute façon, Monot, qu'est-ce qu'elle avait comme valeur, cette déposition ? Elle ne donne même pas le signalement du jeune.

Le lieutenant Monot hésita avant de préciser :

— Selon le témoin, le type avait des lunettes noires. Et il a cru voir aussi qu'il était brun et frisé. Juste *cru* voir. Moi, je ne l'ai pas consigné, parce que… observé de dos, avec la capuche rabattue, ça paraissait douteux : si je l'avais noté, vous ne m'auriez pas raté.

— Brun et frisé, répéta la commissaire en évitant toute intonation.

Un silence suspicieux traîna. Viviane espérait un rebond : Monot n'était là que depuis huit jours, quelles étaient ses idées ? Mais il se tut, il était roué, le bougre, avec son air candide. Elle soupira et lui tendit le feuillet.

— Vous voyez pourquoi toute l'équipe va vous faire la gueule ?

Le lieutenant blêmit. Pauvre chou, il ne voyait pas.

— Une faute de procédure, commissaire ?

Elle soupira à nouveau. Avec sa petite licence en lettres, le lieutenant Monot allait collectionner les fautes de procédure : même les adjoints diplômés en droit y succombaient parfois.

— C'est pire encore, vous avez fait du zèle. Le vieux, il ne fallait pas le déplacer : tant qu'il était à l'angle du pont, l'affaire était pour les collègues de la rive droite, mais grâce à vous, il a fini quai Conti, et c'est vous qui avez pris la déposition. Donc c'est pour nous. Comme si on n'avait pas assez de boulot. Il est mort, votre clodo, si j'ai bien compris ?

— Oui, je suis allé à la Pitié-Salpêtrière pour l'interroger. Il venait de succomber à un traumatisme crânien. J'ai demandé un constat de décès, et je l'ai fait déposer à la morgue. C'est bien la procédure ?

— Avec l'identité, ce serait parfait.

— J'ai trouvé sa carte dans la besace, avant de l'envoyer à la morgue : Pascal Mesneux, cinquante-deux ans. Domicilié rue Diderot à Asnières, mais il n'y habite plus : j'ai appelé à l'adresse indiquée, je suis tombé sur son ex-femme, il a quitté le foyer conjugal depuis huit ans. Il était devenu clochard.

— Vous avez demandé une photo à l'identité judiciaire ?

Le lieutenant Monot se mordit les lèvres et la commissaire Viviane Lancier soupira, puis se mordit aussi les lèvres : elle ne devait pas prendre cette habitude de soupirer dès que Monot lui parlait.

— Donc, pour vous, mon petit Augustin, en attendant de trouver le meurtrier, dossier classé ? C'est ça ?

Viviane avait laissé échapper cet *Augustin*. Le lieutenant n'avait pas relevé, il hocha la tête avec un bon sourire d'abruti.

— Il n'y a rien qui vous dérange, Monot ?

— Si, bien sûr, un mort sur notre secteur, c'est toujours dérangeant.

— Certes, mais *imaginons* que vous soyez une racaille de banlieue qui part à la chasse dans le centre de Paris. Vous tireriez quel gibier, vous ?

Monot écarquilla les yeux. Il semblait paniqué par l'impensable personnage qu'on lui proposait. Viviane eut pitié, il fallait l'aider.

— Je veux dire, vous iriez chasser la sacoche d'un clodo, en plein milieu d'un pont ? Plutôt que le sac à main d'une grande bourgeoise qui sort de chez Chanel, ou le portefeuille d'un touriste en terrasse aux Deux Magots ?

Elle le regarda avec tendresse : sur sa tête d'angelot blond, le Saint-Esprit semblait planer. Alléluia, il se posait !

— Oui, c'est bizarre, commissaire. Mais il n'y avait rien d'intéressant dans la besace. Je l'ai d'ailleurs envoyée à la morgue, avec le cadavre.

Le regard de la commissaire le foudroya. Moins gris, plus noir.

— Ah, c'est à vous de décider si un élément du dossier est intéressant ?

— Je dis ça parce que j'ai pris la peine de la fouiller : de mémoire, un livre de Victor Hugo, un slip et des chaussettes, des affaires de toilette, son vieux portefeuille avec quelques euros, du papier cul. Et une espèce de galette.

— Et c'est pourtant ce qu'on a voulu lui voler. Vous aviez quelque chose, pour ce soir, lieutenant ?

— Oui, avec une amie, on a prévu de…

— Eh bien, vous allez prévoir autre chose, vous irez à la morgue. Mais pas seul, rassurez-vous : votre amie, ce sera moi, je vous conduis.

La dernière phrase fit monter en elle un trouble léger, presque mutin.

Pendant tout l'après-midi, elle tomba sur le dos de ses hommes, elle voulait des nouvelles de José Tolosa, le truand recherché par Europol[1] qu'on disait avoir vu traîner près de Denfert-Rochereau. Elle envoya les uns et les autres à la pêche aux infos, puis s'enferma dans son bureau pour ingurgiter les nouvelles circulaires administratives. Tout cela l'ennuyait, elle était impatiente d'emmener son adjoint. Dès dix-huit heures, elle appela Monot après avoir pris dans son armoire une paire de gants

1. Europol est un office de police criminelle intergouvernemental qui facilite l'échange de renseignements entre polices nationales de l'Union européenne, notamment en matière de grande criminalité.

en nitrile et l'appareil photo numérique de l'équipe. C'était d'ailleurs le sien, mais comme c'était son équipe…

Vingt minutes plus tard, ils étaient tous deux devant le cadavre de Pascal Mesneux. Vêtu de la seule étiquette qui portait son nom, accrochée au gros orteil, le clochard n'était pas très appétissant. Mais Viviane aimait contempler les cadavres nus des hommes, surtout en présence d'un autre mâle. Il y avait là quelques sentiments pas nets, des trucs à exciter un psy, elle le savait bien. Probablement rien de grave.

Les côtes étaient saillantes, les jambes pleines de varices, les bleus qui couvraient le corps étaient parsemés sans grâce. Sur la tête, au bord de l'oreille, un énorme hématome violacé déjà marbré de vert — la mort était à l'œuvre —, des cheveux grisonnants qui masquaient le front et une grosse barbe un peu plus blanche qui cachait partiellement une trogne cramoisie. Viviane improvisa une brève oraison funèbre :

— Alcoolo puissance alcoolo, le pauvre vieux, une vie foutue bien avant de mourir.

Elle prit un certain plaisir à palper le foie du mort, ses biceps, à le retourner, à le renifler, juste pour impressionner Monot qui détournait le regard. Elle enfila ses gants pour examiner la besace : le linge de corps était étonnamment propre. Elle sortit le livre, *Les Châtiments* de Victor Hugo.

— Qu'est-ce que vous en pensez, Monot ?

— Ce n'est pas ce que je préfère dans son œuvre poétique. *Les Rayons et les Ombres*, ou *Les Voix intérieures*, ça me parle plus. À la fin de ma fac de lettres, en travaux dirigés, j'avais…

Viviane se crispa : il jouait au con, ou il était vraiment comme ça ?

— Mais je m'en fous, Monot, de vos études. Je m'en fous de la littérature. Je vous demande si ça ne vous paraît pas bizarre, un clodo qui lit des poésies de Victor Hugo.

— Oh, Hugo, tout le monde le lit, commissaire. Les retraités, les étudiants, les flics. Alors, pourquoi pas les clochards ?

Elle encaissa l'affront : elle n'avait pas lu Victor Hugo. Comme livre de chevet, elle était plutôt portée sur le polar. Ou sur le Code pénal.

— Et des clochards qui se font la tête de Victor Hugo, vous en connaissez beaucoup ?

Elle avait relevé les cheveux du défunt, puis placé à côté de son visage la photo du poète âgé qui occupait la couverture du livre : la ressemblance était frappante.

— Vous voyez, Monot, pourquoi il ne faut pas croire à la morphopsychologie : avec la même gueule, l'un finit au Panthéon, et l'autre à la morgue. Prenez-le en photo, ça pourra servir.

Tandis qu'il s'exécutait, elle continua à fouiller dans la besace.

— Oh, c'est curieux : il manque quelque chose. La galette a disparu.

Le lieutenant rétracta les épaules, comme si Viviane allait le gifler.

— C'est moi, commissaire. Je l'ai mangée.

La commissaire laissa échapper une grimace de répugnance.

— Vous l'avez *mangée* ? Vous êtes fou ?

— Je n'avais pas pris de petit déjeuner, et comme j'avais perdu trop de temps à la Pitié-Salpêtrière, je ne pouvais plus déjeuner. Puisque c'était proprement emballé dans un papier, j'ai pensé qu'il n'y avait rien de gênant, côté hygiène.

— Côté hygiène, c'est votre affaire, mais côté pièce à conviction ? Alors comme ça, le lieutenant Monot s'empiffre avec les éléments du dossier, c'est une nouvelle procédure ? Elle était comment, cette galette ?

— Plutôt bonne : c'était une sorte de pancake, assez gras, épais, avec des morceaux de bacon dedans. Et un goût de fromage. Une forte odeur, la besace sent encore.

Elle soupira, longuement. Cette fois-ci, il n'y avait pas d'agacement dans ce soupir ; simplement une volonté de rester zen. La commissaire appela le gardien pour remballer le défunt, et s'en fut en emportant la besace. Monot trottait sur ses talons, comme un grand chien.

Arrivé sur le trottoir, il lança :

— L'histoire du pancake, je ne sais pas si je peux rattraper ça…

Il n'avait bien sûr aucune importance, ce pancake. Mais Viviane voulait marquer le coup, juste une petite vacherie pédagogique pour que Monot ne balance plus jamais le moindre élément d'un dossier.

— Moi, je sais. Demain, vous chercherez où Mesneux a acheté son pancake. Qu'est-ce qu'il a fait ce jour-là ? Vous voyez le genre ? Allez, cherche, Milou, cherche.

Elle le planta là, sous la pluie glacée de janvier, et s'engouffra dans sa Clio sans lui proposer de monter. Il fallait faire vite, le pont d'Austerlitz allait encore être bouché : le temps de regagner son deux-pièces rue Simenon, elle risquait d'arriver après la fermeture de l'épicerie.

Elle passa à la fin de l'orange, et se fit siffler par un jeune GPX[1]. Qu'allait-elle lui expliquer ? Que même quand on est commissaire de la DPJ, on doit faire ses courses ?

1. GPX : dans la police, abréviation courante de « gardien de la paix ».

CHAPITRE 2

Deux minutes et quelques bonnes paroles plus tard, la commissaire repartit, faussement repentante. Son vrai repentir, elle le gardait pour le lieutenant Monot : c'était plus fort qu'elle, pourquoi fallait-il qu'elle soit comme ça, dure, blessante, avec les hommes un peu faibles ? Dès qu'une muraille présentait une fissure, elle avait besoin d'enfoncer le bélier.

Viviane se gara en double file devant l'épicerie de la rue Simenon, en face de chez elle. Le Tunisien était en train de baisser le rideau de fer et elle lança un sourire, pour la première fois de la journée. Il fit de l'effet, ce sourire : l'épicier remonta le rideau. Puis il lui lança à son tour un sourire un peu insistant ; voilà, c'était trop beau, il allait encore essayer de lui refiler une ou deux contraventions.

Elle parcourut les petits linéaires, attrapa un lot de bifidus, un sachet de jambon maigre, et un paquet de haricots verts surgelés, puis passa à la caisse.

— Si ça vous intéresse, commissaire, maintenant je fais aussi les légumes frais et les fruits. J'ai déjà rangé les cageots, mais je peux ressortir ce qu'il vous faut.

Ce qu'il vous faut, il n'avait même pas dit *ce que vous voulez*. Il était d'une incroyable indiscrétion, ce type, il avait déjà compris qu'elle recommençait un régime. Viviane l'envoya chercher une salade, des tomates et une pomme. En l'attendant, elle s'approcha d'un présentoir de confiserie, et y choisit quatre grosses barres de Mars qu'elle posa devant la caisse, histoire de rappeler qu'elle était une femme libre.

Il revint avec les légumes, le fruit, et trois contraventions toutes fraîches.

— Vos achats, c'est cadeau, dit l'épicier. Et, si vous pouviez me rendre un petit service…

— Les cadeaux de fin d'année, c'est fini depuis trois semaines, merci. C'est combien ?

Elle paya, lui laissa ses contredanses, et s'en fut sans sourire. Ce n'était pas la première fois, mais l'épicier s'obstinait, ça en devenait vexant.

Arrivée chez elle, Viviane posa sur son lecteur un CD de Jean-Sébastien Bach, pris au hasard dans le coffret. Elle ne savait pas si elle aimait vraiment Bach, mais Ludovic, ce connard de Ludovic, lui en avait jadis offert l'intégrale. En écoutant la *Toccata*, elle découvrit qu'il n'y avait plus d'huile ni de vinaigrette pour assaisonner ses crudités. Il ne lui restait qu'une grasse sauce *Bénédicta spéciale frites* dont elle aspergea rageusement tomates et salade.

Elle ruminait cette affaire du Pont-Neuf ; c'était une histoire à la Pieds Nickelés. Ce qu'elle aimait, c'étaient les trafics de stups, les rackets, les trucs qui cognaient. Les dossiers foireux, très peu pour elle. Pire encore, c'était avec le jeune Monot qu'elle avait commencé à s'en occuper.

Elle avait pensé à Monot, elle avait soupiré. Cette fois-ci, elle avait une bonne raison : elle aimait tellement travailler avec le lieutenant Rambert, un pilier de la brigade. Mais le pilier s'était effondré : Rambert était désormais invalide à vie, depuis une récente poursuite sur les toits qui avait mal tourné. En remplacement, Viviane avait demandé un lieutenant confirmé, sérieux et sans histoires. Et on lui avait envoyé cet ahuri d'Augustin Monot qui débutait. C'était de l'humour administratif.

La chose méritait une barre de Mars qu'elle trempa dans son yaourt à 0 %. Elle se sentit plus sereine : demain, elle mettrait le gros brigadier Escoubet sur l'affaire. Avec lui, tout serait plus simple.

Viviane alluma la télévision : l'épisode de *FBI, portés disparus* avait déjà commencé. Elle feuilleta sa collection de DVD enregistrés, et elle en sortit un vieux Navarro qu'elle regarda sans joie. Il la mettait en rogne, ce commissaire. Il était trop prêchi-prêcha, ses enquêtes étaient trop faciles. Une seconde barre chocolatée la calma et elle se coucha, pleine de bonnes résolutions : demain, régime très strict. Et visite à Asnières chez la veuve Mesneux. Ça suffirait peut-être à boucler l'affaire, ce serait beau comme du Navarro.

Ce fut, sur ce dossier, sa première journée. Et sa première erreur d'appréciation, elle le savait bien, mais cela ne l'empêcha pas de dormir.

Mardi 22 janvier

L'immeuble était petit, blanc, très moderne, presque trop pour Asnières. La veuve habitait au dernier étage et, de chez elle, on avait vue sur le parc, mais il en fallait plus pour rendre aimable Patricia Mesneux. Viviane était arrivée cinq minutes plus tard que l'heure convenue au téléphone, et la veuve faisait la gueule, elle devait passer sa vie à faire la gueule. C'était une petite femme sèche et sans grâce, pâlichonne.

— On ne va pas traîner, commissaire : je suis responsable de l'état civil à la mairie. Ça n'attend pas, les gens naissent et meurent même quand les commissaires veulent faire des interrogatoires. Alors, qu'est-ce que vous voulez savoir sur mon ex-mari ?

Viviane voulait tout savoir, et elle eut droit à tout. Une fois lancée, Patricia Mesneux oubliait l'état civil, elle semblait fière de déballer son histoire, comme si elle racontait des vacances ratées. Elle avait connu Pascal l'année du bac au lycée Michelet, à Vanves. Ils voulaient tous deux devenir instituteurs en maternelle, pour avoir les mêmes horaires et les mêmes vacances, « Vous comprenez ? ». Non, Viviane ne comprenait pas, elle n'avait ni horaires, ni vacances ; depuis deux ans, elle n'avait plus personne avec qui les partager. Mais Patricia Mesneux poursuivait, elle en était déjà à sa licence en psychologie qu'elle n'avait jamais décrochée, elle en avait besoin pour son IUFM, tandis que Pascal avait choisi la licence de lettres modernes avant d'aller jusqu'au CAPES. Elle était soûlante, la veuve.

— Excusez-moi, mais les diplômes, ce n'est pas ce qui m'intéresse. Je voudrais savoir comment votre mari est devenu SDF.

Patricia Mesneux se relança, plus joyeuse encore : elle arrivait aux échecs de son ex, elle prenait sa revanche. Il avait été nommé à Gennevilliers, « Gennevilliers, vous vous rendez compte ? Vanves, c'est Paris. Mais Gennevilliers, ce n'est même pas la banlieue, c'est la zone. Alors on s'est installés à côté, à Asnières, c'est un peu plus notre monde, et il allait travailler là-bas. Ensuite, on l'a chargé des cours de français en filière professionnelle : vous l'imaginez, madame, enseigner Victor Hugo à des abrutis en bac pro de plasturgie ? »

Non, Viviane n'imaginait pas. Elle n'imaginait encore rien sur Pascal Mesneux, elle comprenait juste que sa femme n'était pas un cadeau.

— Pourquoi vous dites Victor Hugo ? Vous auriez pu dire Molière.

Patricia Mesneux leva les yeux au ciel.

— Parce qu'il ne suivait pas les programmes, il leur parlait tout le temps de Victor Hugo. Au début, c'était seulement la poésie, il avait décidé que c'était le meilleur chemin pour que ces gars-là entrent dans la littérature. Comme s'ils pouvaient y entrer ! Puis il a resserré sur la poésie du XIXe, et il s'est arrêté à Victor Hugo. Ses cours, ce n'était plus que ça. On a commencé à se fiche de lui, on l'appelait Victor Hugo. Il s'est laissé pousser la barbe, il s'est mis à boire. Au début, c'était juste les canaris l'après-midi, entre chaque classe, et puis…

— Les canaris ? C'est quoi, un canari ?

— Le canari, c'est pastis, sirop de citron, et de l'eau, bien sûr. Et puis il s'est mis au blanc gommé le matin.

Viviane avoua qu'elle ne connaissait pas non plus les blancs gommés.

— Tant mieux pour vous, c'est infect, c'est vin blanc et sirop de citron. Il arrivait de plus en plus bourré aux cours. Vous me direz, ses élèves aussi… À la fin, il ne faisait plus cours de rien : il débitait ses poèmes de Victor Hugo, il bafouillait, il sautait des vers ; de toute façon, personne ne l'écoutait. Parfois, il se mettait debout sur son bureau, et ses élèves faisaient pareil, c'était le meilleur moment du cours, sa minute de gloire. Il y a eu des plaintes de parents, des inspections, on lui a demandé de suivre une cure de désintoxication. Il n'en voulait pas, il disait que c'était la vie qui l'intoxiquait, vous voyez le genre. Il a fini par tout laisser tomber.

— Ça a dû vous faire un choc, non ?

Viviane avait posé la question par politesse, presque par routine. Elle pressentait la réponse.

— Non, j'ai été soulagée. Bon débarras, pour être franche. De toute façon, il ne me touchait plus depuis des années. Moi, j'avais mon boulot à l'état civil, j'avais l'appartement par la mairie, mes deux garçons et moi, on se débrouillait très bien sans lui. Pour tout.

Viviane se demanda jusqu'où allait ce « pour tout ». Son regard parcourut la pièce, s'arrêta sur une photo sous verre, accrochée au mur. Un gamin d'environ quinze ans, grand, blond, tenait par l'épaule un plus jeune, d'une petite dizaine d'années, aux cheveux de jais bouclés et à la peau mate. Tous deux avaient le regard dur de Patricia Mesneux. Leur mère leur avait déjà appris à regarder durement la vie, comme ils devaient regarder leur père, planté devant son blanc gommé, le matin, quand ils allaient à l'école.

— Cette photo, elle date de quand ?

— De l'époque où il est parti. Il ne leur a même pas dit au revoir, à moi non plus. Il s'est barré un jour, en boitant, après avoir dégringolé du haut de son bureau pendant un cours.

— Et avant son départ, ça se passait comment, la vie de famille ?

— Comme tout le monde, devant la télé. Il commençait à regarder les émissions, puis il se retirait à la cuisine pour écrire des poèmes sur des petits cahiers. Parfois, il venait essayer de nous en lire un pendant l'émission, en se donnant un air inspiré. Alors, on mettait le son plus fort et il repartait. Ses cahiers de poèmes, on en a tout un carton à la cave.

Viviane imaginait le tableau. Elle avait de la peine pour Pascal Mesneux. Il était sans doute aussi malheureux chez lui qu'au lycée professionnel. De quoi pouvaient-ils parler ? Et après la télé, où Pascal dormait-il ? Avec sa femme, quand même, ou sur le canapé du salon ? Est-ce que le petit dernier était de lui ? S'était-il mis à la boisson à cause de ses élèves ou à cause de sa femme ? Chez les enseignants, combien y avait-il de cas semblables ? Des sujets comme ceux-là, elle n'aurait pu bien en parler qu'avec le mort.

Patricia regarda sa montre sans aucune discrétion, et la commissaire comprit que la discussion ne l'amusait plus.

— Il avait des ennemis ?

— Il n'avait que ça, commissaire, il détestait tout le monde, ses collègues, ses voisins, sa famille. Tout le monde sauf Victor Hugo.

— Non, je veux dire dans l'autre sens, des gens qui lui en voulaient, qui le haïssaient ?

— Je crois qu'il n'y avait que moi. Pour les autres, c'était un type qui laissait indifférent ; au pire, un type dont on s'écartait.

Cette femme était maintenant d'une terrible sincérité, elle faisait peur.

— Et vous savez où il zonait ?

— Des collègues m'ont dit l'avoir aperçu à Paris, près de l'Étoile. Il devait y vivre, si on peut appeler ça vivre. Je peux aller travailler ?

La commissaire aurait voulu poser encore plein de questions. En finissant par les plus insignifiantes, improvisées, celles qu'elle préférait pour cerner quelqu'un ; mais Patricia avait déjà enfilé un manteau de cuir noir et accompagnait la commissaire à la porte pour mieux l'éjecter.

Viviane ne quittait jamais un interlocuteur sans lui demander son numéro de portable et donner le sien : la veuve accepta de très mauvaise grâce, comme elle devait délivrer, à la mairie, les extraits d'actes de naissance sous X.

Quelques minutes plus tard, la commissaire

s'arrêta devant un obscur bistrot — on se serait cru dans la zone — pour y commander un café allongé. Puis un croissant qu'elle annula, il ne fallait pas oublier ce régime. Elle appela le patron :

— Vous servez souvent des blancs gommés ?

— Gommés ? Jamais. Des blancs limés, avec de la limonade, j'en ai eu servi, mais je ne fais plus la limonade. Vous en vouliez ?

— Non merci, pas avec le café. Et des canaris ?

— Si tôt le matin, non. À partir de onze heures, oui, mais rarement. Les canaris c'est une clientèle à part, souvent le genre défonce.

Qu'est-ce qu'elle fichait là, à s'intéresser à un macchabée qui n'intéressait personne, pas même sa veuve ? Partir sur une fausse piste, ça lui était déjà arrivé, mais là c'était tout bonnement une fausse affaire, un simple fait divers parisien. Même pas : un incident de la France d'aujourd'hui. Un jeune qui avait voulu s'amuser. Parfois, ils faisaient ça en brûlant une voiture, en chahutant une fille dans le TER, ou en dévastant une supérette. Là, c'était en agressant un SDF. On ne voulait pas faire de mal, monsieur le juge, on ne recommencera plus. Viviane sentit monter une vieille bouffée de hargne mal rentrée, et allez, ça y était, c'était reparti, elle détestait les jeunes, elle détestait les juges, la France d'aujourd'hui, la vie parisienne, elle détestait tout le monde, elle devenait comme Pascal Mesneux, elle hésita même à commander un canari, pour se calmer.

Elle rentra à la DPJ, encore toute haineuse, ce devait être le régime qui la mettait dans cet état. Elle expédia quelques bons dossiers de tous les jours, s'irrita de l'absence de tuyaux concernant Tolosa, gronda sur chacun, même sur Monot qui n'était toujours pas rentré et qui devait courir les arrondissements, à chercher ses pancakes. Avec le froid qu'il faisait, il allait attraper la crève, et Viviane se sentit fautive : une journée gaspillée plus un congé maladie en vue pour une affaire qui n'en était pas une.

Il revint à la tombée de la nuit, le nez rouge et dégouttant. Mais joyeux : il tenait un petit sac brun et rouge.

— J'ai trouvé, commissaire ! Le pancake, ça venait de McDo.

Il ouvrit le sac, et en extirpa deux petites galettes qui emplirent le bureau d'une lourde odeur de graisse sucrée.

— Ils servent ça au petit déjeuner. J'ai dû attendre l'heure creuse, pour qu'ils m'en fabriquent quelques-uns. J'ai goûté, c'est bien ça.

Il mit le pancake sous le nez de Viviane.

— Vous voulez essayer ?

Encore un coup de canif dans son régime, mais elle ne voulut pas vexer Monot : elle en prit une bouchée. C'était froid, gras, un peu fumé et salé à la fois, la pâte collait au palais. Mais c'était meilleur que la barquette de crudités-jambon qu'elle s'était infligée au déjeuner. Elle continua la dégustation.

— Eh bien, Monot, c'est pas mauvais, ces petits déjeuners de McDo. Un petit goût de revenez-y.

Le lieutenant attendit qu'elle eût fini de s'essuyer les lèvres et conclut :

— Pascal Mesneux était bien de votre avis, il y revenait chaque matin.

CHAPITRE 3

Décidément, cette enquête emmenait la commissaire dans tout ce qu'elle n'aimait pas : les clochards, la littérature et maintenant les McDo.

— Comment avez-vous trouvé ?

— J'ai laissé un post sur des forums de jeunes, avec la description du pancake, et j'ai très vite reçu la réponse, une dizaine, même. Ils avaient tous reconnu une des formules brunch du McDo.

— Ah, bien sûr !

Elle ne prenait jamais de brunches, encore moins dans les McDo. Elle ne courait pas les forums, surtout pas ceux de jeunes. Elle se sentait vaguement roulée : un monde nouveau se construisait derrière son dos.

— Il ne restait plus qu'à faire le tour des McDo en montrant la photo de Mesneux. Je n'avais pas pensé à la faire tirer, alors j'ai acheté un bouquin de Victor Hugo, avec sa photo en vieillard à l'intérieur. Je vous laisse le bouquin, si vous voulez. J'ai pris *Les Contemplations*, je crois que ça vous plaira. Il l'a écrit à l'époque où…

— Au sujet, restez au sujet, Monot.

— Dans les McDo, c'était compliqué, parce que les équipiers changent tout le temps, selon les jours, selon les heures.

— Je sais bien, coupa-t-elle en tentant de deviner ce qu'étaient les équipiers.

— J'ai vérifié toutes les adresses pour rien : la bonne, c'était la dernière, celle qui me paraissait la plus improbable, le McDo des Champs-Élysées. Il y allait chaque matin, dès l'ouverture. Tout le monde le connaissait, là-bas. Il montait aux toilettes comme il serait allé à la salle de bains, et là, brossage de dents et lavage torse à poil. On le laissait faire : il était propre, et pas encore soûl, à cette heure-là, il ne dérangeait personne. Puis il descendait prendre son brunch. Ce devait être son moment de bonheur : parfois, il lisait même quelques vers de Victor Hugo à son voisin, quand il en avait un.

Elle imaginait Mesneux qui, chaque matin, allait au McDo pour repartir de zéro : il avait choisi la vie de clodo pour fuir ses lectures de Victor Hugo, et il avait fini par donner des lectures de Victor Hugo pour fuir sa vie de clodo. Viviane commençait à l'apprécier, ce type. Elle voulait en avoir le cœur net sur l'affaire, si anodine fût-elle. Par amitié pour cet inconnu insignifiant. Elle voyait, par la fenêtre, la neige collante qui commençait à tomber et risquait de tenir. Demain, il ferait froid. Tant pis, service, service.

— Monot, vous me trouverez son parcours le vendredi de sa mort, entre le moment où il est sorti du McDo et celui où il est entré sur le Pont-Neuf. Il avait un peu d'argent sur lui : avec le froid, il est peut-être allé boire dans quelques bistrots. Demandez s'ils servent des canaris ou des blancs gommés, vous gagnerez du temps.

— Des canaris et des blancs gommés ? Qu'est-ce que c'est ?

— Eh bien, renseignez-vous sur les forums, les forums de vieux !

Elle remarqua, dans l'open space, le gros brigadier Escoubet qui écoutait la conversation en rigolant. Ah, ça l'amusait, le gras du bide ! Elle l'appela.

— Escoubet, dans l'appareil photo, vous ferez un tirage papier de la dernière, le cadavre barbu, et avec ça, vous irez chercher dans Paris…

— L'appareil, c'est le lieutenant Juarez qui l'a pris ce midi, au cas où, commissaire. Il avait un tuyau sur une livraison de stups.

Escoubet sourit encore plus : il croyait s'en tirer à bon compte. Viviane enfila des gants en nitrile, en tendit une paire au brigadier, et sortit de la besace le recueil de Victor Hugo.

— Dans ce cas, faites une photocopie de la couverture : c'est le portrait craché du clochard décédé, Monot vous expliquera. Demain, vous chercherez le secteur où zonait ce monsieur.

Elle examina la besace. La bretelle s'accrochait à la poche par deux mousquetons qui se clipsaient sur une petite plaque de cuivre. L'un des deux était à demi ouvert : quand l'agresseur avait tenté de la voler, c'était probablement à cet endroit qu'il l'avait saisie. Elle demanda à Monot de confier la recherche d'empreintes à la brigade scientifique, c'était sûrement trop tard, il aurait dû le faire depuis longtemps. Puis elle plongea sans joie dans ses dossiers. Mais le brigadier Escoubet revint, tendant le livre, et une enveloppe.

— Dans le bouquin, commissaire, il y avait ça.

C'était une enveloppe cachetée. Une enveloppe grise très fine, légère : elle ne devait contenir qu'un feuillet. Sur cette enveloppe, au verso, en petite écriture bâton : *X. B., rue du Bois, Pantin*. Le recto était de la même écriture, mais plus original : *Le Prince des Poètes, Académie française, Quai Conti, Paris. Aux bons soins de Victor Hugo.*

Viviane contempla longuement cette adresse qui semblait la narguer. Elle aimait les polars, pas la littérature. Et voilà qu'on l'embarquait dans une affaire où on en semait à chaque virage. Mais vu le destinataire, il fallait maintenant prendre le dossier au sérieux. Elle finit par montrer l'enveloppe au jeune Monot.

— C'est quoi, un prince des poètes ?

— Ça me dit quelque chose. Je crois que c'était Verlaine, ou Mallarmé. Ou un autre. Ronsard, peut-être.

— Bref, vous ne savez pas.

Le lieutenant avait saisi l'enveloppe, la tournait, la soupesait, tentait de glisser le doigt dans l'entrebâillement de la bande collée.

— Mais allez-y, Monot, ne vous gênez pas, les gants en nitrile, les empreintes, vous êtes au-dessus de tout ça ? Et ouvrez-la, tant que vous y êtes ! Vous savez ce que ça coûte, un viol de correspondance privée ? Surtout à ces niveaux-là. Demain, je la porterai moi-même à l'Académie : je récupérerai ensuite le contenu pour l'enquête. En attendant, notez-moi l'adresse écrite au dos.

Viviane lui tendit un Post-it vert, puis l'envoya balader. Elle voulait revoir Gérald Tournu, c'était le seul point de départ dont elle disposait. Elle appela Hélio 92 et demanda le livreur. On lui annonça qu'il était parti surfer à Biarritz, il allait rentrer jeudi.

Surfer en janvier, par ce temps-là, il était fou ? La standardiste lui répondit qu'elle était bien d'accord : Gérald avait voulu aller faire le *Off the lip* et le *three sixty, front side* et *backside* en combinaison lycra sur la plage, alors qu'elle lui avait proposé la même chose sous la couette, il était barge. Elle donna à Viviane le numéro du héros en la prévenant qu'il serait sur répondeur jusqu'à mercredi soir : il avait oublié son portable dans le partner.

Viviane appela quand même Gérald Tournu et laissa un message demandant qu'il la contacte. Elle tenta de replonger dans ses dossiers, mais elle lisait sans lire. L'affaire du quai Conti commençait à devenir plus bizarre que prévu, elle se sentait déjà dépassée.

De retour chez elle, la commissaire s'accorda quelques *Suites pour violoncelle* de Jean-Sébastien en dînant d'une grillade et de courgettes. Elle dormit mal. C'était peut-être ce régime trop acide. Ou plus probablement cette affaire.

Mercredi 23 janvier

La neige avait fondu, le froid était resté. Viviane sortit quand même son ensemble Caroll pour aller à l'Académie. C'était ridicule et c'était rose, mais elle se l'était offert l'été précédent et ne le portait jamais, ce qui était encore plus ridicule. En l'achetant, elle avait imaginé des petits dîners tendres. Oh, pas avec des chandelles, juste des petits dîners où on lui aurait pris la main au dessert. Mauvais investissement, il n'y avait pas eu de dîners énamourés. Plus d'élans du cœur depuis Ludovic, ce connard de Ludovic.

Elle tenta d'enfiler le pantalon. Ça passait presque, mais elle dut renoncer : les hanches coinçaient, bien sûr. La commissaire se sentit envahie par une bouffée de détestation envers les femmes qui grossissaient des cuisses, elles avaient trop de chance, ça se voyait moins ; puis envers les femmes qui s'empiffraient sans grossir, le monde était injuste. Elle sortit une bonne vieille tenue informe de tous les jours, et la compléta par ses petits souliers gris qui feraient quand même plus habillés pour rencontrer des académiciens.

Elle avait oublié l'enveloppe à la DPJ ; elle y passa en vitesse, le temps de s'agacer des commentaires de ses hommes sur ses petits souliers gris avant qu'elle file quai Conti. Comment faisaient-ils pour remarquer ça ?

L'Académie française ! Viviane en avait toujours eu une vision fumeuse : des hommes et des femmes plus tout jeunes qui croyaient bon de s'habiller en tenue de carnaval pour se recevoir plus dignement. Des noms illustres qui se réunissaient pour discuter de la définition de mots inconnus, que personne n'utiliserait déjà plus quand sortirait la prochaine édition de leur dictionnaire.

Elle sonna et attendit, un peu intimidée : elle ne voyait guère comment expliquer la situation. Un petit homme caché sous un béret vint ouvrir. Une caricature de concierge, le genre de type avec qui il fallait parler le français de tous les jours.

— Je suis la commissaire…

Et elle s'arrêta, perturbée. Non, ce *la* commissaire serait peut-être jugé trop féminisant, une erreur en ces lieux de purisme.

— Je suis le commissaire…

Le concierge la regarda, inquiet, il ne devait pas aimer les travelos.

— Je dois vous apporter ceci.

Elle lui montra l'enveloppe et le petit homme la lut, soupçonneux :

— *Aux bons soins de Victor Hugo*… Je ne sais pas si vous êtes le commissaire ou la commissaire, mais vous n'êtes pas Victor Hugo.

— Oui, oui, comme il est mort, je suis venue à sa place.

Le petit homme jeta un regard sur le trottoir d'en face et sembla chercher la caméra cachée, il fallait dissiper le malentendu.

— Victor Hugo, on l'a assassiné, le pauvre.

Le concierge lui adressa un sourire paniqué, et referma doucement la porte. Viviane sortit sa carte

Police barrée de tricolore. Même en ces lieux, ça faisait de l'effet. Elle agita l'enveloppe.

— Je dois simplement remettre ce courrier au Prince des Poètes. C'est bien ici ?

Il y avait dans le regard de l'homme l'effroi du civilisé face à la folie barbare. Il mourait d'envie de verrouiller la porte. Viviane insista :

— Je voudrais au moins parler à un académicien, c'est une affaire grave.

— Il n'y a pas d'académicien si tôt le matin, même pour Victor Hugo, même pour un ou une commissaire de police. Il y a encore moins de prince des poètes, on est en république, ici. Attendez un peu, vous pourrez remettre votre enveloppe au secrétaire de la Secrétaire perpétuelle.

— Le secrétaire de la Secrétaire ? Il n'y a personne de plus… responsable ?

— La Secrétaire perpétuelle est éminemment responsable. C'est une académicienne, une immortelle. La Secrétaire perpétuelle est immortelle, perpétuelle-immortelle, ha, ha !

Il répéta que la perpétuelle était immortelle, enchanté de sa trouvaille, puis il repoussa la porte en demandant à Viviane d'attendre sur le trottoir, on viendrait la chercher. L'intrusion d'une femme qui venait annoncer la mort de Victor Hugo et prétendait le remplacer devait le terrifier. C'était un sale type qui allait, faraud, répéter pendant huit jours qu'il avait laissé un flic se geler sur le trottoir. Il dirait même une flique, c'était bien le genre.

Viviane patienta dans le perfide froid de janvier. Finalement, ces petits souliers gris, c'était une mauvaise idée : trop légers, surtout pour battre la semelle sur le trottoir. Elle sentait son corps se glacer.

La porte s'ouvrit enfin, et un vieil étudiant cérémonieux vint la sauver. C'était le secrétaire de la Secrétaire perpétuelle. Il la fit entrer dans un petit bureau et l'écouta se présenter en affichant une inquiète bienveillance.

— Commissaire Viviane Lancier, 3e division de la police judiciaire.

— Ah oui, Quai des Orfèvres, c'est ça ?

— Non, il y a trois DPJ : moi, c'est celle de l'avenue du Maine. Les DPJ, ce sont en quelque sorte les filiales parisiennes du Quai des Orfèvres, pour les affaires moins importantes.

— Alors, une affaire qui concerne l'Académie n'est pas importante ?

Viviane la lui détailla pour le rassurer, mais il ne parut pas convaincu. Il se lança dans un long et triste monologue : il n'y avait pas de « prince des poètes » à l'Académie, seulement trois poètes, Jean Matsuyama, Félicien Driscoll et Armand de Lalande. Les poètes, ce n'était guère prisé — il baissa la voix pour mieux faire apprécier l'énormité de la confidence qu'il distillait : on accueillait plus volontiers les romanciers, bien sûr, mais aussi les essayistes, un bon créneau, les essais, vous savez, lui précisa-t-il comme pour susciter la candidature de Viviane. Il y avait encore les critiques, les historiens, les politiques, les cinéastes ou même les paroliers, enfin, tout était à la mode sauf les poètes. Alors, un prince des poètes, non, madame, il n'y avait pas de ça dans la maison. D'ailleurs, il n'y en avait plus nulle part : pour être prince des poètes, il fallait être élu par ses confrères poètes, exclusivement ceux publiés à compte d'éditeur. Et comme il n'y avait plus guère d'éditeurs publiant de la poésie, il n'y avait plus de prince, vous comprenez ?

Il pianota discrètement sur son genou, comme pour souligner l'importunité de la visite.

— Ce que je peux vous proposer, commissaire, c'est de remettre… *ce pli* à Madame la Secrétaire perpétuelle : nous avons demain la séance du dictionnaire, ils devraient être tous là.

L'enveloppe était donc devenue *ce pli* dès son entrée sous la Coupole ! Viviane le lui confia à regret. Avec les gants et les précautions d'usage.

— Je vous laisse ça, mais le contenu est important pour nous. Il faudra me le rendre ensuite.

En montant dans la Clio, elle entendit sonner son portable ; c'était le brigadier Escoubet.

— Commissaire, je vous ai trouvé un collègue de Mesneux. Je le fais patienter, mais ce serait intéressant que vous veniez le voir avant qu'il ne soit trop déglingué : on est dans un bistrot, au Melting-Potes, rue des Trois-Bornes, dans le XIe.

Passer de la Coupole au Melting-Potes, c'était une des joies du métier de commissaire. Viviane plaqua son gyrophare et remonta les quais.

La façade du bistrot semblait annoncer la couleur : elle était violette et lie-de-vin. Dans un recoin, un clochard au visage cramoisi, engoncé dans un manteau qui devait avoir été marron, buvait lentement un ballon de rosé, tout en regardant tendrement

Escoubet, les yeux dans les yeux. Le brigadier accueillit la commissaire en riant.

— Je lui ai dit de patienter, mais il a déjà commencé à raconter. De toute façon, le type est monté en boucle, il la répète tout le temps.

— Le type ! Je ne suis pas le type, je suis Pitaine, bafouilla le clochard. Pitaine parce qu'avant, j'étais capitaine dans la Légion.

Il avait atteint le meilleur degré de l'ivresse, celui où l'on ne contrôle plus ses paroles, mais où l'on articule encore un peu. La discussion serait plus facile.

— Alors, Pitaine, vous connaissez Pascal Mesneux ? lui lança Viviane pour l'aider.

— Non, connais pas. Personne ne connaît de Mesneux. On l'appelait tous Victor Hugo. Et moi, c'est Pitaine parce qu'avant, j'étais…

— Oui, commissaire, interrompit Escoubet. Heureusement que j'avais la photo du livre, c'est comme ça que…

— Victor Hugo et moi, on s'est connus à la Maison du Partage, reprit le clochard, vous voyez sûrement, le Centre de l'Armée du Salut, rue Bouret. On s'y retrouvait chaque mardi pour la douche.

Viviane hocha la tête, comme si elle en était une habituée. Il fallait stimuler ce type, la phrase avait été longue, il semblait épuisé.

— Vous voulez boire quelque chose ?

— Je reprendrais bien un rosé. C'est pas que j'aime ça, mais le rouge, je peux plus, j'ai fait une cure de désintoxication.

Viviane appela le garçon.

— Un rosé, et un blanc gommé.

— Ah, vous étiez une amie de Victor Hugo, c'est à sa mémoire que vous buvez ça.

— Pourquoi dites-vous *à sa mémoire* ? Vous savez qu'il est mort ?

— On voit que vous n'avez jamais été à la rue, madame. Chaque fois qu'il y en a un de nous qui y passe, ça se sait aussitôt, on n'a que ça à se raconter. La nouvelle fait le tour des quais de métro, des asiles de nuit.

— Ça vous a fait de la peine ? Vous étiez très copains ?

Le blanc gommé était une invention infâme. Viviane repoussa le verre en grimaçant, aussitôt après y avoir goûté. Pitaine crut à une offrande et l'avala en trois goulées tout en expliquant :

— Entre clodos, on n'est jamais vraiment *très copains*. On se met ensemble, c'est juste pour se sentir un peu moins con quand on picole ou quand on parle tout seul. Ou pour ne pas se faire dépouiller quand on dort. Victor Hugo, il préférait aller de son côté. Mais c'était un brave type, on l'aimait bien : quand il nous croisait, il s'arrêtait pour causer et il ne refusait jamais de passer la bouteille. Ce sont toujours les braves types qui meurent. Pauvre gars.

Il y eut un silence, Pitaine semblait englouti par la profondeur de son homélie. Il émergea soudain.

— Pauvre gars, pauvre gars, mais, hé, quand même très riche, le Victor Hugo.

— Très riche ? Vous êtes sûr ?

— Oui, très riche. La preuve : il n'avait presque rien sur lui. Il y avait un mystère, avec ce type. Par exemple, on ne le voyait jamais avec un sac de couchage ou une couverture, pas besoin, il avait son appartement avenue Victor-Hugo. Vous vous rendez compte ? Avoir son appartement à soi, sur une avenue à son nom, faut être plein aux as.

Pitaine décevait Viviane : elle avait imaginé un individu buté, réfractaire, nécessitant des ficelles de psychologie, et elle était tombée sur un cabot aussi bavard et mythomane qu'un acteur venu présenter son film à la télévision.

— Peut-être qu'il se vantait, vous ne croyez pas, Pitaine ?

— Très riche, je vous dis. Tenez, l'autre vendredi, le matin, je le rencontre près des Halles. Déjà fin soûl, il veut m'inviter au bistrot. « J'ai un truc à fêter, je suis sur un gros coup, une montagne de fric avec ce que j'ai là » et il me montre sa sacoche. Des trucs à ne jamais raconter, c'est comme ça qu'on se fait dépouiller. Puis il ajoute : « Aujourd'hui, je vais entrer à l'Académie française. » J'ai voulu rester avec lui, pour voir. Mais il a préféré y aller seul : il m'a payé un coup de rosé et il s'est barré.

— Et tout cet argent, vous savez d'où il venait ?

— Peut-être des droits d'auteur sur les livres de poésies qu'il écrivait, à l'époque où il était prof. On vous l'a dit, qu'il était prof à la Sorbonne ?

CHAPITRE 4

La commissaire paya un ultime rosé au clochard et sortit avec Escoubet. Le froid était toujours aussi mordant, et les pieds de Viviane n'avaient pas dégelé depuis l'attente sur le quai Conti. Elle proposa au brigadier de déjeuner avec elle dans le coin, puis de l'accompagner avenue Victor-Hugo. Il semblait ravi, tous ses hommes aimaient déjeuner avec elle, ils lui avaient déjà dit pourquoi : elle mangeait sans chipoter, elle causait sans finasser. Un compliment d'homme.

— Si vous aimez la paella, commissaire, il y a au bout de la rue un petit resto qui en sert aujourd'hui.

Le vent glacé était insupportable, Viviane se sentait prête à aimer n'importe quoi, l'important c'était de ne pas marcher plus loin que le bout de la rue.

— Vous y croyez, Escoubet, à ce clochard très riche qui a son appartement avenue Victor-Hugo ?

— Pas plus qu'à son entrée à l'Académie française. Du pipeau ! C'est souvent pour ça qu'ils se font clodos, les clodos, juste pour s'inventer une vie imaginaire et la raconter sans qu'on les interrompe.

Le Pitaine, par exemple, je suis sûr qu'il n'était pas capitaine. Caporal, peut-être, mais pas plus. Et Mesneux, je vous parie qu'il n'a jamais été prof à la Sorbonne.

— Vous avez gagné ! Mais dans la sacoche, il y avait quand même une enveloppe d'une certaine valeur, peut-être « une montagne de fric ». En tout cas, il en est mort, le pauvre. Pour l'avenue Victor-Hugo, on ira faire un tour cet après-midi, histoire de vérifier ça.

Le restaurant était presque comble. On installa Viviane et Escoubet à la dernière table libre, juste à côté de la porte. Quelques minutes plus tard, d'autres clients entrèrent, et patientèrent, plantés devant la table des policiers. Viviane s'en agaça, elle aurait préféré un peu de discrétion, elle voulait savoir ce que le brigadier pensait du nouveau lieutenant. Le brigadier esquissa un lever de bras embarrassé.

— Bien sûr, il ne remplace pas Rambert, mais il n'est pas mal. Sympa, très motivé. Un bon débutant, intelligent faisant peut-être un peu trop l'intelligent, vous voyez ce que je veux dire. Encore gamin, mais ça lui passera avec l'âge, quand il aura une femme, des enfants.

— Et en attendant, actuellement, il vit avec une copine ?

— S'il vit avec, je ne sais pas, mais il en a une. D'après ce que j'ai compris, elle est journaliste à *20 minutes*.

— Une journaliste ! Alors là, c'est vraiment un gamin. Le con ! Pff…

Elle avait trop vite clos le sujet ; après cela, il était

difficile de le relancer, car Escoubet était en selle sur sa conversation favorite, le quinté du dimanche : cette fois-ci, il avait joué la date de mariage de ses parents, mais il s'était trompé de mois. Sinon, il avait presque le quinté à un cheval près. « N'est-ce pas que c'est rageant ? » Viviane le lui concéda et Escoubet bomba le torse, fier de son infortune.

On apporta le grand plat de paella pour deux, le pichet de cahors, et la commissaire se détendit : on pourrait se faire face sans avoir à parler. La bonne grosse présence d'Escoubet suffisait à son bonheur.

Le portable de Viviane sonna ; elle écouta tout en regardant le brigadier, et griffonna une adresse sur une serviette en papier. Escoubet s'était déjà redressé, en toutou fidèle : il avait compris qu'il n'aurait pas de paella. « Je vous l'envoie », conclut-elle avant d'annoncer :

— Le lieutenant Juarez a vu Tolosa en train de déjeuner avec trois hommes dans un couscous, près de Denfert-Rochereau. Juarez a besoin d'un type expérimenté comme vous pour l'interpellation. Moi, j'y serais bien allée, mais Tolosa me connaît, il me repérerait de loin. Désolée, Escoubet, ça me faisait pourtant plaisir, ce déjeuner avec vous.

Le brigadier sortit en bougonnant. Viviane courut le rattraper pour lui tendre l'adresse sur la serviette qu'il avait oubliée. En regagnant la table, elle se sentit soudain seule, terriblement seule face à l'immensité de la paella. Elle avait commencé le matin même un nouveau régime hyperprotéiné, et les œufs de son petit déjeuner lui pesaient encore sur l'estomac. Dix minutes plus tôt, elle était prête à s'offrir une joyeuse entorse, et maintenant, elle n'aspirait qu'à une salade. Elle piocha sans conviction les crevettes auxquelles elle trouva un aigre goût de frigo, les moules qui lui semblèrent piquantes, et quelques fragments de la cuisse de poulet trop sèche. Les rondelles de chorizo étaient aigres et luisantes, le riz avait un goût infect : elle demanda l'addition et fila vers l'avenue Victor-Hugo.

En arrivant à l'Étoile, la commissaire reçut un appel de Juarez et Escoubet : Tolosa leur avait filé sous le nez. En sortant du restaurant, les trois comparses du truand avaient dû repérer les deux flics sur le trottoir d'en face : qui d'autre qu'une paire de flics pouvait faire le pied de grue sur le trottoir par un froid pareil ? L'un des trois était reparti prévenir Tolosa, et le truand avait filé par les cuisines.

— Bon, dans ce cas, Escoubet, venez me rejoindre avenue Victor-Hugo. Je commence, et je vous passe le relais dès votre arrivée.

L'avenue Victor-Hugo était encore plus glaciale que le XIe ; Viviane n'avait qu'une envie, celle de s'entendre dire une dizaine de fois « Non, on n'a jamais vu ce type » après avoir montré la photo du clochard, puis de rentrer au bureau pour y passer l'après-midi bien au chaud.

Mais c'était un jour où tout irait de travers ; le premier interviewé, un commerçant du haut de l'avenue, contempla la photo et hocha la tête.

— On le rencontre souvent, tard le soir ou tôt le matin.

Viviane continua à arpenter l'avenue, à recueillir quelques réponses positives, de plus en plus nombreuses à mesure qu'elle le descendait. Oui, Pascal Mesneux était du quartier. Ce n'en était pas une figure, mais presque. On le connaissait, seulement de vue, il ne parlait à personne, il ne dérangeait pas, il passait. On ne savait pas où il logeait.

Il faisait de plus en plus froid, et Escoubet n'arrivait pas. La commissaire tenta de le joindre, il ne répondait pas. Le brigadier appela enfin :

— J'ai retrouvé dans la rue un des trois types qui étaient à table avec Tolosa. Je l'ai pris en filature, il est descendu dans le métro puis il est sorti à la station Plaisance. Et maintenant, il attend devant l'hôpital Saint-Joseph. Qu'est-ce que je fais ? Je l'arrête ?

— Non, il peut nous conduire à Tolosa. Vous continuez à le filer.

Cela faisait une heure que Viviane était tentée de regagner le commissariat, de confier le reste de l'avenue Victor-Hugo à ses hommes. Mais elle avait l'étrange intuition que sa présence cet après-midi, dans ce vent, ce froid, aurait quelque importance pour la suite de l'enquête. Elle s'était toujours fiée à ses intuitions : au point où elle en était, elle continua.

Elle interrogeait les concierges dans chacun de ces immeubles cossus. On la regardait avec ennui : c'étaient des endroits où l'on aimait bien les flics, mais pas chez soi. On lui parlait en évitant son regard, en écourtant la conversation. Oui, ce type habitait sans doute le secteur, mais pas un immeuble comme le nôtre, non, pas ici, ce n'était pas le genre. Viviane passait des loges surchauffées aux halls glacés. Dans l'avenue, c'était pire encore, le grésil tombait en rafales. Elle se sentait de plus en plus malade. La fièvre qui montait, le repas qui ne descendait pas. Une envie de vomir entre chaque quinte de toux.

Quand la nuit tomba, Viviane avait visité plus de cinquante immeubles, et elle dut se faire une raison : Pascal Mesneux passait matin et soir dans l'avenue comme un enfant pauvre devant les vitrines de Noël, il en aimait l'ambiance, mais il savait que ce n'était pas pour lui. Victor Hugo était un étranger dans Victor-Hugo. Elle enverrait plus tard un de ses hommes visiter les immeubles restants, mais elle ne se faisait plus d'illusions.

Elle rentra se coucher en claquant des dents. Elle avait une excellente santé, n'était pas habituée aux virus et aux bactéries, ne fréquentait les hôpitaux que pour des accidents du travail ou d'entraînement. L'intrusion d'une maladie à l'intérieur de son corps lui paraissait humiliante et elle se vit descendre cette nuit-là au tréfonds de l'abjection. Longue nuit d'horreur : la toux la tint éveillée, la gastro-entérite la harcela, elle quitta continuellement le lit pour y revenir vidée, quinteuse et chancelant sous la fièvre qui s'était jointe à la fête.

Jeudi 24 janvier

À l'aurore, ce qui restait de la commissaire après vomissements et diarrhées n'était plus qu'un corps à la température de 41°. Elle appela le SAMU. Elle éteignit son portable, décrocha son téléphone et repartit se pelotonner sous la couette pour mieux y mourir. Elle fut tout étonnée d'être encore vivante quand on sonna à la porte.

Le médecin l'examina, accablé, comme si l'on ne devait pas le déranger au-dessous de 42° : ce n'était qu'une bronchite combinée à une sale intoxication alimentaire. Il voulait des précisions sur ce qu'elle avait mangé. La description de la paella l'émerveilla : une femme pouvait donc avaler de son plein gré des trucs comme ça ?

Une heure plus tard, quand Viviane vit son obligeante voisine de palier revenir de la pharmacie avec un lot de boîtes de nifuroxazide, de lopéramide et d'acide acétylsalicylique, il lui resta juste assez de force pour appeler d'un filet de voix la DPJ, pour tomber sur Monot, lui annoncer son empoisonnement alimentaire, et prévenir qu'elle ne pourrait pas venir avant le lendemain. Puis elle sombra.

Peu après vingt-deux heures, Viviane se réveilla. Elle ne se sentait pas guérie, simplement un peu moins morte. Juste assez pour écouter le journal de fin de soirée à la télévision. Et c'est alors qu'elle regretta d'avoir survécu.

La présentatrice était en ligne avec un journaliste planté devant l'Académie française. On sentait chez lui l'impatience du sacripant qui va viser un vase Ming avec sa fronde : la joie maligne d'égratigner le sacré.

— Alors, Jean-Didier, ce matin, incident tout à fait inhabituel à l'Académie française…

— Oui Mathilde, tout à fait, ha, ha, inhabituel. Officiellement, la vénérable institution se refuse à tout communiqué. Mais, par un académicien qui nous a informés de façon *très confidentielle* — il a demandé à garder l'anonymat —, nous savons tout, ha, ha, de cet incident, euh, tout à fait inhabituel. Je ne sais pas si la déontologie m'autorise…

— Allons, allons, Jean-Didier…

— Puisque vous insistez : une lettre a été remise hier à l'Académie par une commissaire de police à l'attention du Prince des Poètes. Ne sachant à qui la donner, on l'a apportée ce matin, encore fermée, en séance du dictionnaire. Le vieil Armand de Lalande, dont tout le monde connaît les vers libres, s'en est emparé et a réclamé le privilège de l'ouvrir, étant le plus âgé des académiciens poètes. Mais Félicien Driscoll, l'illustre poète prosateur, a considéré que ce droit lui revenait, étant le plus ancien *élu*. Ce qu'a contesté Jean Matsuyama, le virtuose de l'alexandrin, pour qui seul un poète classique peut être considéré comme prince des poètes. Il a alors arraché l'enveloppe des mains d'Armand de Lalande qui s'est défendu à coups de canne, blessant à l'arcade sourcilière Félicien Driscoll, qui tentait de s'interposer. Il a fallu l'intervention d'un vigile pour mettre fin à cet incident tout à fait inhabituel : une bagarre et du sang à l'Académie !

— Et savez-vous ce que contenait l'enveloppe ?

— Je suis désolé, mon informateur n'a pu me le dire.

— Eh bien moi je peux, reportage suivant. Nous allons maintenant nous rendre au commissariat d'où provient la fameuse enveloppe.

Viviane sentit remonter la fièvre : ce branquignol d'Augustin Monot venait occuper l'écran, un feuillet à la main. Un journaliste l'interrogeait, jovial :

— Vous êtes le lieutenant Monot, de la DPJ. Voulez-vous nous dire ce que l'enveloppe pouvait bien receler, pour créer à l'Académie l'incident, ha, ha, tout à fait inhabituel dont tout le monde parle.

Le visage de Monot se fit sévère, digne. Viviane ne l'avait jamais vu dans ce rôle de composition, il était excellent.

— Je voudrais d'abord vous demander d'en parler sur un ton moins léger. Cette enveloppe a déjà fait un mort, en la personne du SDF qui l'apportait. On l'a assassiné alors qu'il arrivait au quai Conti. Le contenu de cette enveloppe, c'est un sonnet, que je vais vous lire.

Il le lut à peine. Il semblait le connaître par cœur et récita sobrement :

— Ce poème, commença-t-il, a pour titre *L'Une et l'Autre*.

Et il lança, d'une voix frémissante :

Quand mon âme vomit la beauté, le divin,
Les chœurs harmonieux et la femme trop pure,
Ma gourme la conduit par une sente obscure
Vers la case aux relents de vanille et de vin.

— Excellent, très enlevé, je vous remercie, conclut la présentatrice.

— Ce n'est pas fini, poursuivit Monot, avec un sourire prometteur :

Nu sur le lit m'attend le corps noir et puissant
D'une esclave à l'œil las, délivrant sa chair veule.
Sous sa bouche corail frémit, se cambre et feule
Une vestale juive au saphisme innocent.

La caméra revint sur la présentatrice, qui cherchait ses mots :

— Ce poème, c'est en quelque sorte… un appel à la mixité sociale entre communautés ethniques, c'est bien ça ?

— Non, pas vraiment. Je vous lis la suite :

Hanches et seins blafards, ventre et cuisses d'ébène,
Ne sont plus qu'un grouillis de stupre et de désirs.
Ô temples entr'ouverts, ô fervente géhenne !

Le lieutenant Monot reprit son souffle, tendu comme s'il voyait l'esclave et la vestale entremêlées. Viviane en était tout émue.

— Il nous faut *concluer*, interrompit la présentatrice.

— Je termine, lui intima Monot.

Il détacha chaque mot, d'une voix chaude :

Attisez mon ardeur, arrachez mes soupirs !
Et je crois voir languir, en un spasme éreinté
L'avenir infécond de notre humanité.

Un long silence plana. On percevait le malaise de la journaliste. Elle posa crûment la question qui la torturait :

— Et… que faut-il en penser ?

— C'est assez osé, mais bien écrit. Ça ressemble à du Baudelaire. C'est en tout cas ce que je…

— Du Baudelaire ! Merci, lieutenant, nous reviendrons certainement sur cette affaire.

Viviane n'avait pas bien compris le poème, mais resta troublée par ces effets de voix qui caressaient les vers étranges. En attendant, elle allait faire entendre sa voix de commissaire, beaucoup moins caressante. Elle composa le numéro personnel de son adjoint pour lui exprimer en termes choisis toute sa fureur, mais il s'était lâchement réfugié derrière son répondeur. Elle s'offrit deux comprimés d'Efferalgan dosé 500, éteignit la lumière et tenta d'oublier l'avenir infécond de son humanité.

Vendredi 25 janvier

Viviane arriva tôt le matin, encore fiévreuse, mais, dans l'open space, tout le monde avait pris place encore plus tôt, comme si chacun pressentait l'humeur massacrante de la commissaire. L'embarras régnait.

Le brigadier Escoubet se dévoua pour affronter sa première rage : le complice de Tolosa qu'il avait pisté jusqu'à l'hôpital Saint-Joseph l'avait repéré et lui avait filé entre les doigts. D'un regard, Viviane le chassa de son bureau. Elle vit passer Monot et, d'un bref « Vous, ici ! Tout de suite ! », l'invita à franchir son seuil.

Il ne laissa même pas Viviane l'interroger, il parla tout de suite, avec un bon sourire de député :

— C'est pour l'histoire du sonnet ? Vous avez peut-être été surprise, mais j'avais le pressentiment qu'il allait y avoir des complications avec l'Académie, et cette enveloppe était vraiment très importante pour nous. Alors j'ai fait comme lorsque j'étais gamin, pour lire à son insu les lettres des fiancés de ma sœur : avant votre passage, je l'ai passée au-dessus de la vapeur d'une casserole pour qu'elle se décolle, j'ai photocopié le contenu, et je l'ai recachetée.

— Et ce contenu, qu'est-ce que c'était ?

— Le manuscrit du sonnet, commissaire. Mais pas un original, une simple photocopie. J'ai fait la photocopie de la photocopie.

— Allez me chercher ça.

Tandis qu'il revenait, Viviane le vit parler à voix basse avec les autres hommes de l'équipe ; ils cachaient quelque chose. Il entra enfin dans le bureau, et elle examina le feuillet sans trop savoir ce qu'elle devait y chercher. L'écriture était ancienne, à grandes boucles élancées. On distinguait une vague trame et de petites taches dans le fond.

— C'est ce que vous avez lu hier ? Et ça ne vous a pas gêné de lire un texte comme ça, devant tout le monde ?

— Enfin, commissaire, il n'y a rien de plus méchant que ce qu'un enfant de dix ans peut voir à la télé en prime time.

— Si, si. Des histoires de lesbiennes, de femme noire ou juive, et en plus, de religion, c'est vite des histoires à problèmes ! C'est quoi, d'ailleurs, ces temples entr'ouverts ?

— Oh, commissaire, est-ce à moi, un homme, de vous l'expliquer ? Le *temple* d'une femme… un endroit préservé où seuls sont invités les fidèles, euh, vous voyez ce que je veux dire ? Eh bien, ce temple peut parfois s'entr'ouvrir.

Monot lui lança un sourire qui la fit rougir de confusion. Il la regardait exactement comme le faisait ce connard de Ludovic, à l'époque où il y avait Ludovic. Un sale petit air de supériorité, de pitié. Il allait payer ça.

— En tout cas, lieutenant, hier, vous l'avez très bien lu.

Le jeune Monot se rengorgea, il allait roucouler, cet innocent. Elle poursuivit :

— Juste une question : ça vous paraît normal de déballer des pièces à conviction pour faire votre show devant les caméras ?

— Mais commissaire, les journalistes étaient arrivés, c'est le secrétaire de l'Académie qui leur avait donné vos coordonnées. Vous étiez injoignable, j'ai pensé qu'il fallait respecter le droit à l'information.

— Vous avez mal pensé, Monot. Ça n'existe pas dans le Code pénal, le droit à l'information. C'est une invention des journalistes, c'est le droit de fouiller le contenu de votre frigo pour le vider dans la gamelle de leurs clients boulimiques.

— Enfin, commissaire, on ne peut plus raisonner comme ça. Il faut vivre dans l'air du temps.

— Vous avez raison, vous allez partir à la Sécurité publique, ce sera plus dans l'air du temps. Rédigez-moi une demande de mutation, j'y ajouterai un mot d'appui : je vous ferai nommer à la circulation. Là, vous en aurez, de l'air du temps, vous le respirerez à pleins poumons aux carrefours.

La sonnerie de son portable suspendit sa colère. C'était le tout-puissant directeur de la police judiciaire. Il savait que chacun à la PJ l'appelait le Tout-Puissant, et trouvait cela très drôle. Un rien l'amusait.

— Ah, ma petite Viviane…

Commissaire Lancier, c'était quand il y avait quelqu'un dans son bureau. Quand il était seul, il disait *ma petite Viviane*, comme à l'époque où elle était en stage sous ses ordres, à Marseille. Il continuait, tout tendre :

— Je suis heureux de pouvoir vous parler. Je craignais qu'on vous ait fait éteindre votre portable à l'hôpital. Et heureux surtout de vous savoir vivante.

— À l'hôpital, monsieur le directeur ?

— Oui, j'ai lu ça dans *20 minutes*. Alors, vous voilà saine et sauve ?

— Enfin, monsieur le directeur, de quoi me parlez-vous ?

— De la tentative d'empoisonnement à laquelle vous venez d'échapper.

Elle entendit un dialogue lointain, la voix du Tout-Puissant qui répondait « Bien sûr, passez-le-moi », et qui enchaînait :

— Excusez-moi, commissaire Lancier, une urgence sur une autre ligne, je vous rappelle.

CHAPITRE 5

Viviane fit revenir le lieutenant Monot.

— Puisque vous êtes encore sous mes ordres, allez me chercher *20 minutes*.

Le lieutenant revint aussitôt avec le journal, tête basse.

— Je vais vous expliquer, commissaire.

— Taisez-vous, laissez-moi lire.

Sous le titre « Le sonnet qui tue », l'article annonçait une tentative d'empoisonnement perpétrée sur la commissaire Viviane Lancier, celle-là même qui, en apportant l'enveloppe, avait causé l'algarade à l'Académie française. Un paragraphe rappelait que Pascal Mesneux qui, avant elle, avait voulu déposer ce document à l'Académie, en était mort. La commissaire aurait-elle plus de chance ? Les médecins ne pouvaient se prononcer sur sa survie.

Comme on n'avait pas trouvé de quoi remplir les trois colonnes sous le titre, on y avait ajouté une photo, extraite du journal télévisé de la veille, où le lieutenant Augustin Monot déclamait le poème devant les caméras. Viviane comprit enfin l'embarras de tous ses hommes depuis ce matin : personne n'osait se dévouer pour lui en parler.

— Maintenant, expliquez-moi, Monot. Expliquez-moi que vous n'y êtes pour rien.

Et elle espéra désespérément que Monot n'y serait pour rien.

— J'ai une amie qui travaille à *20 minutes*, je devais sortir avec elle hier soir. Mais comme vous n'étiez pas là pour recevoir l'équipe de la télé, j'ai appelé cette amie pour annuler : je lui ai expliqué que je devais vous remplacer parce que vous aviez été victime d'un empoisonnement. J'ai préféré ne pas donner de détails, pour ne pas être indiscret. Elle m'a demandé si c'était grave ; pour rester vague, j'ai répondu que l'on ne pouvait pas se prononcer. Mes propos ont été mal interprétés à la rédaction. C'est aussi simple que cela.

Elle regarda son adjoint avec désolation : un type qui pouvait provoquer de telles catastrophes, en les trouvant *aussi simples que cela*, allait lui manquer. Sur qui allait-elle pouvoir passer ses nerfs ?

Il était triste, le pauvre bichon, il semblait chercher comment se faire pardonner. Le plus fort, c'est qu'il trouva :

— Avec tout ça, j'allais oublier l'essentiel ! J'ai pu reconstituer le parcours de Mesneux le jour de sa mort : il a fait tous les bistrots depuis le McDo, tous ceux entre la rue La Boétie et les Halles, en suivant la rue du Faubourg-Saint-Honoré, et il ne passait pas inaperçu. Au début, il est resté sur son itinéraire, j'ai les noms, le Charlie Birdy, la Brasserie Boétie, puis le Griffon…

— Je ne vous demande pas le recensement des bars, Monot, je vous demande ce qu'il y faisait, ce qu'il y disait.

— Ce qu'il faisait ? Mais ce qu'on fait dans un bistrot, il picolait. Blanc gommé quand il y en avait, et sinon, muscadet. Chaque fois, il criait en entrant « Aujourd'hui, Victor Hugo va entrer à l'Académie française ! », ça le faisait bien rire. Il voulait inviter des clients à fêter ça avec lui, mais ils n'y tenaient pas trop, ce n'est pas le genre du quartier. En tout cas, il paraissait plein aux as. Il s'est écarté de l'itinéraire quand il n'y avait pas assez de bars sur le chemin : j'ai noté le Musset rue de l'Échelle, la Rotonde des Tuileries rue des Pyramides…

Monot eut un léger passage à vide, il comprit qu'il partait en dérapage.

— Tout ça pour dire qu'il était de plus en plus ivre : il bafouillait pour raconter son gag de l'entrée à l'Académie, il engueulait les clients qui ne voulaient pas trinquer avec lui, il s'emportait en disant qu'il ne fallait pas le prendre pour un minable ! On l'a mis dehors dans plusieurs endroits. On l'a vu, en fin de matinée, dans quelques bistrots autour des Halles. Ensuite, plus de nouvelles.

Viviane hocha la tête.

— C'est du beau travail de flic, Monot. Pas trop cérébral, factuel. Ce sera le dernier que vous ferez à la DPJ. C'est bien, vous nous laisserez une bonne impression.

Le téléphone sonna : c'était encore le Tout-Puissant. La commissaire chassa Monot d'un mouvement de main.

— Voilà, ma petite Viviane, c'est contrariant pour vous qui n'aimez pas la publicité. J'ai eu le cabinet du Premier ministre.

Ce que le Tout-Puissant venait annoncer à Viviane était effectivement contrariant : le Premier ministre avait été informé de l'article de *20 minutes*. Il s'y était référé ce matin même, lors d'un déplacement à Lyon, où, devant la nouvelle promotion de l'École des commissaires de police, à Saint-Cyr-au-Mont-d'Or, il avait prononcé un discours sur les beautés et les risques du métier. Il avait cité la commissaire Viviane Lancier en exemple et fait applaudir le nom de cette héroïque victime d'un empoisonnement criminel. En sortant, il avait été interviewé par France 3 : il était revenu sur le cas de cette jeune commissaire qui luttait contre la mort, dans cette affaire de poème. Il avait promis que les coupables seraient retrouvés, il en faisait une affaire *personnelle* — c'était son habitude, toute affaire qui pouvait intéresser quelques millions d'électeurs devenait aussitôt pour le Premier ministre une affaire personnelle.

— Monsieur le directeur, je vous arrête, il faut très vite corriger le tir. C'est une erreur de la presse : il s'agit d'un simple empoisonnement alimentaire, je suis déjà de retour au commissariat.

Le Tout-Puissant s'offrit un long silence réfléchi, puis, en pesant ses mots, stipula que non, il ne pouvait pas y avoir d'erreur de la presse : la presse détestait commettre des erreurs et, quand elle en commettait, elle les faisait payer très cher. En rectifiant l'information, on risquait de mettre le Premier ministre en position très délicate, *Le Canard enchaîné* allait bien s'amuser. Il n'en était pas question. Le Tout-Puissant la relança, doucereux :

— Faites un effort, Viviane, revoyons cette histoire sans parti pris : *si* — je dis bien si — on vous avait empoisonnée, comment la chose se serait-elle passée ?

La commissaire lui raconta, avec minutie, la scène de l'écœurante paella, le départ d'Escoubet, et le Tout-Puissant sembla y prendre un vif intérêt. Il voulait des détails, la questionna sur ses souffrances de la nuit, et Viviane se rappela alors que son directeur était un mordu de toxicologie. Ce fut d'ailleurs avec beaucoup d'expertise qu'il conclut :

— Eh bien, ma petite Viviane, votre erreur de jugement est flagrante : *on vous a bel et bien empoisonnée*. Un criminel qui vous pistait a simulé l'attente, et s'est planté au restaurant devant votre table. Il a profité de votre brève sortie aux trousses d'Escoubet pour verser très vite le poison sur votre nourriture. Mais vous avez une sacrée chance : le poison était mal dosé, vous avez à peine touché à la paella, et vous avez une santé de fer. Vous avez donc survécu.

— Je vous assure, monsieur le directeur, j'ai simplement été malade.

— *Empoisonnée*, je vous dis. Et je peux d'ailleurs vous préciser que c'est à la ricine, tous les symptômes y sont : je vous entends même tousser. Une horreur, cette ricine : six mille fois plus toxique que le cyanure et douze mille fois plus vénéneuse que le venin du crotale. Vous avez de la chance d'avoir survécu !

— Mais, monsieur le directeur, pourquoi m'aurait-on empoisonnée ?

— Enfin, vous avez lu le journal ? Parce que vous travaillez sur l'affaire du sonnet porté à l'Académie ! Un meurtre aussi mystérieux que le sonnet, très belle affaire, les médias vont adorer, le public aussi. Vous m'avez compris, Viviane, on vous a empoisonnée, ça commence à bien faire, vous n'allez pas vous mettre à réfuter mon diagnostic ! C'est désormais la version officielle, vous l'assumerez devant les médias et devant vos hommes, et vous me ferez le plaisir de ne pas en démordre.

— Mais dans ce cas-là, normalement, l'affaire devrait repartir à la brigade criminelle du Quai des Orfèvres. Devant eux aussi, j'assume cette histoire ?

Il y eut un nouveau long silence encore plus réfléchi. Viviane entendait souffler le Tout-Puissant, c'était un souffle embêté. Bien embêté.

— Non, Viviane, ce ne sera pas la peine. Moins il y aura de monde sur cette affaire, mieux ça vaudra. Comme vous êtes personnellement concernée, je veux qu'elle reste chez vous. Ne mettez pas trop d'hommes là-dessus, vous me comprenez ?

— On peut limiter ça à l'équipe du premier open space, celui qui donne sur mon bureau. Ils sont sept.

— Parfait, parfait ! Maintenant, au boulot ! Et guérissez vite.

Viviane appela ses hommes. En quelques mots, elle leur présenta la vérité toute neuve en y mettant une grave conviction : le Tout-Puissant venait de lui donner son accord, il était temps qu'elle leur dise tout, elle confirma que c'était bien une tentative d'empoisonnement. On ne pouvait que regretter la fuite malheureuse et l'irresponsabilité des médias, mais le mal était fait. Elle sentit passer dans son troupeau une petite ola d'étonnement, de scepticisme, mais peu lui importait.

— Et vous mettrez qui sur ce dossier ? demanda le lieutenant Juarez.

— Je m'en occuperai seule. Je suis comme le Premier ministre, j'en fais une affaire personnelle. D'autres questions ? Vous pouvez disposer.

Monot sortit le dernier et revint sur ses pas en fermant la porte.

— Je ne comprends pas, commissaire : l'info de *20 minutes*, c'est moi qui l'ai donnée, puis c'est le journal qui l'a déformée…

— Je vous avais volontairement donné une fausse information, et là-dessus, le journal s'est trompé. Du coup elle est redevenue vraie, moins par moins égale plus, vous comprenez ? Allez, on n'en parle plus.

Le lieutenant Monot prit l'air entendu de ceux qui n'y entendent rien et se retira. Cette fois-ci, l'affaire était close. On allait laisser dormir le dossier Mesneux, sur lequel on avait déjà perdu beaucoup trop de temps, et on allait se mettre sérieusement sur la trace de Tolosa : pour traîner si souvent dans le quartier, il devait préparer quelque chose. On allait aussi tenter de s'attaquer au trafic de stups à la gare Montparnasse, ça devenait agaçant cette impunité, si près de la DPJ. Et puis il y avait ce couple de bijoutiers assassinés près de Beaugrenelle, une affaire sans doute facile, encore fallait-il s'en occuper.

La DPJ retrouva sa bonne ambiance des semaines

précédentes, on s'agitait, on se passait les coups de fil et les dossiers, on se houspillait.

Ce fut vers seize heures que la mémoire de Viviane eut un sursaut.

— Au fait, Monot, le post-it avec l'adresse qui figurait au dos de l'enveloppe, vous l'avez ?

— J'ai dû le ranger, je vais vous chercher ça, commissaire.

— Et passez à l'Académie pour récupérer l'enveloppe et ce qu'il y avait dedans. C'était convenu.

Il revint un peu plus tard.

— Il y a un souci : le secrétaire de la Secrétaire m'a bien rendu le contenu de l'enveloppe, comme convenu, mais il n'a pas gardé l'enveloppe proprement dite. Ça, vous ne l'aviez pas précisé.

— Et le Post-it ?

— Je crois que je l'ai perdu.

— Perdu ? Et l'adresse, vous vous en souvenez ?

Il courba l'échine et secoua si bien la tête que Viviane faillit avoir pitié.

— Non, pas plus que moi, bien sûr ! Espérons qu'elle vous revienne en mémoire pendant vos heures d'activité à la circulation.

Le lieutenant se retira à reculons. Assez lentement pour voir Viviane ouvrir son tiroir et en sortir une grosse barre de Mars.

Elle mastiquait nerveusement sans y croire. Elle savait qu'en de tels moments de tension, une barre ne servait à rien. Ce qu'il lui fallait, c'était un homme. Elle appela Fabien ; ce n'était pas Ludovic, encore moins le petit Monot. C'était son vieux copain. Divorcé depuis quelques années, et libre, comme Viviane. Parfois en manque, comme elle. Ils se voyaient une ou deux fois par mois. En copains, pour le dîner. Et même en copains pour le coucher. Ça faisait du bien, ça ne les engageait à rien. À rien d'autre qu'à l'amitié.

— Ça te dirait qu'on se voie ce soir ?

Ils appelaient ça *se voir*. Oui, ça disait à Fabien, mais pas ce soir.

— Demain, ce serait mieux, Viviane. Chez moi ou chez toi ?

— Chez toi ; la dernière fois, c'était chez moi.

Pourquoi tout n'était-il pas aussi simple avec les autres hommes ? Elle se remit au travail, plus calme, se laissant emporter par la douce agitation du métier. Mais le téléphone sonna encore ; rien qu'en entendant le bonjour, affreusement féminin, poli, autoritaire, elle sut que son répit prenait fin.

— Bonjour, je suis Priscilla Smet, du ministère de l'Intérieur. Priscilla Smet, la nouvelle dircom de notre ministre.

La dircom. Une femme qui se présentait comme la dircom ne pouvait être qu'une peste. Encore pire qu'une directrice de la communication.

— Je veux vous parler de votre lieutenant, poursuivit-elle, le jeune qui est passé hier soir à la télévision.

Viviane ouvrit compulsivement son tiroir, sans illusion : il ne restait plus de barres. Même pas de Twix ou de Bounty.

— Je suis désolée, il n'était pas prévu que le lieutenant Monot se fasse interviewer, je vais vous expliquer.

— Vous n'allez rien m'expliquer : l'imprévu a bien fait les choses. Il est formidable, votre lieutenant Monot, avec sa gueule d'amour et son sourire à la Brad Pitt. Notre ministre a flashé, moi aussi, nous en avons parlé avec le chef de cabinet : nous allons en faire le flic-emblème de la nouvelle police. Il casse tous les clichés du commissaire grand-père ou de l'enquêteur rouleur de mécaniques. Fin, cultivé, vous avez vu comment il le disait, son sonnet ? Ça nous boostera l'image de la police de papa.

Viviane reprit son souffle et convint qu'effectivement Monot lisait assez bien les poèmes, c'était même ce qu'il faisait de mieux.

— Allons, pas de persiflage, commissaire. Il est forcément très bien : on va le mettre en figure de proue dans l'enquête sur le poème.

— C'est très prématuré, elle démarre à peine…

— Justement, pour bien la commencer, je vous ai organisé un point presse. Lundi, dix-huit heures, au ministère. Pour le jeune Monot, chemise bleu ciel Ralph Lauren et veste noire, comme l'autre fois au journal de la nuit. Pour vous, ce que vous voulez, pas trop élégant, pour faire contraste.

La commissaire raccrocha et rappela Monot :

— Mauvaise nouvelle : votre demande de mutation est refusée.

Il allait la remercier, mais elle le coupa :

— Allez me chercher deux barres de Kinder Bueno pour fêter ça !

Elle consulta son portable : il y avait un message de Gérald Tournu. Il s'étonnait, il avait appelé jeudi, comme convenu, et on ne lui avait pas répondu. Il ne serait pas joignable ce week-end, il surferait à Biarritz. Elle lui laissa un SMS le convoquant pour le mercredi 30 en fin d'après-midi. Ce type pouvait être utile, car le rapport de la brigade scientifique était arrivé : les empreintes sur la besace étaient illisibles. Toute cette affaire commençait comme une équation à trop d'inconnues.

Cette nuit-là, Viviane ne dormit qu'à peine. Sa vie était stupide, vide de sens ; elle n'avait que son travail pour la combler. Et on faisait maintenant de ce travail un objet de spectacle, un jeu pour intellectuels du marketing qui n'avaient jamais poussé la porte d'un commissariat. Ils n'y avaient jamais humé la bonne odeur de pieds et de transpiration au retour d'une longue filature, l'ambiance de peur surmontée quand on partait régler une prise d'otages, le chagrin quand on ramassait un gamin esquinté pour toujours par une brute qui péterait la forme dans quelques années. Toute cette misère, cette laideur, Viviane l'acceptait. Mais la maquiller pour la mettre en scène, l'exposer au regard goulu des médias, c'était tomber dans l'obscénité.

Samedi 26 janvier

Le samedi matin, elle reçut quelques commerçants chinois de l'avenue de Choisy, venus témoigner de nouvelles tentatives de racket, plus brutales que les précédentes. On avait à peine mis une bande sous les verrous qu'une nouvelle avait déjà surgi, plus exigeante, plus violente que l'ancienne. Elle comprenait les griefs des commerçants chinois : oui, la police avait peut-être eu tort d'arrêter les premiers, tout le monde était plus tranquille.

Un peu plus tard, on annonça l'appel d'un certain Louis Saint-Croÿ. Il voulait voir très vite la commissaire au sujet de l'affaire du sonnet pour lui donner une information importante. Elle nota l'adresse, et appela Monot qui était sorti pour l'affaire de Beaugrenelle.

— On se retrouve dans une demi-heure, 10, rue Robert-Étienne.

— Robert Étienne ? Ce ne serait pas plutôt Robert Estienne ? Robert Estienne, vous voyez... l'imprimeur qui était aussi lexicographe.

— Je n'en sais rien, ça donne dans la rue Marbeuf, près d'Europe 1. Notez, je vous donne le code de l'immeuble.

Viviane partit, résolue à assassiner Monot s'il lui détaillait la biographie de Robert Estienne. Il arriva un peu en retard, au moment où elle sonnait, et le chéri eut la vie sauve.

La porte s'ouvrit, avec le bruit digne et lourd des portes blindées. Louis Saint-Croÿ n'était pas encore vieux, mais faisait bien semblant. Il portait douloureusement sa cinquantaine, parlait d'une voix fatiguée, et s'emmitouflait dans une grosse veste en tweed et dans une écharpe d'alpaga. Il était chauve, obscènement chauve, ses traits étaient fripés, mais son regard était vif, charmant. Il sourit pendant les présentations, sourit pour conduire ses visiteurs dans une grande bibliothèque qui sentait la poussière chaude. Il semblait avoir appelé Viviane juste pour lui montrer la beauté de son sourire.

— Excusez-moi de vous avoir fait venir, mais je suis malade.

— Rien de trop grave, j'espère ? demanda-t-elle poliment.

— Je suis enrhumé. Vraiment très enrhumé.

Il y avait des gens qui se donnaient le droit de déranger la police, comme ils dérangeaient probablement le médecin ou les commerçants, simplement parce qu'ils étaient très enrhumés. La maman de Louis Saint-Croÿ avait dû lui apprendre ça quand il était tout petit.

Les murs du salon étaient couverts de rayonnages de livres, de dossiers. Au fond, au centre, une bibliothèque en palissandre à petites fenêtres. Saint-Croÿ les invita à s'asseoir autour d'une table basse.

— Voulez-vous boire quelque chose ? Un jus de pamplemousse ? C'est plein de vitamines C, il n'y a rien de tel pour les rhumes, décréta Saint-Croÿ.

Il agita une sonnette sans même attendre leur réponse et une soubrette entra, vêtue comme au théâtre. Elle était noire, et portait de longs cheveux à peine bouclés, retenus par une petite coiffe. Une belle femme, au regard conquérant.

— Joa, prépare-nous trois jus de pamplemousse frais.

Et il reprit, ronronnant d'aise, en balayant la pièce d'un geste auguste :

— Vous voyez, j'aime les éditions rares, surtout les manuscrits autographes. Je suis probablement un des plus grands collectionneurs pour ce qui touche à la littérature française du XIXe siècle. Mais en ce qui concerne Baudelaire, il n'y a pas de *probablement*. Le plus grand, c'est moi.

— Oui, et alors ?

Viviane l'avait relancé, plus inquiète que polie ; elle n'en sortirait donc jamais.

— Alors, le manuscrit du sonnet qui a été lu à la télévision vaut une fortune s'il est de Baudelaire.

Saint-Croÿ adressa son sourire le plus ravageur à Viviane, puis à Monot, avant d'ajouter, d'une voix émerveillée :

— Or il est très probablement de Baudelaire.

CHAPITRE 6

Saint-Croÿ laissa descendre un silence admiratif, il s'en drapait, pour qui se prenait-il ? Viviane lui coupa ses effets :

— Qu'est-ce qui vaut une fortune, le manuscrit ou le sonnet ?

Le bibliophile esquissa un petit sourire complice.

— Le sonnet, s'il est vraiment de Baudelaire, a bien sûr une énorme valeur littéraire. Mais, chez les autographistes, on ne monnaie pas les moments de génie, on ne valorise que la trace qu'ils ont laissée sur un papier. Le trésor, c'est le manuscrit. Je suis prêt à le racheter à son propriétaire, quel qu'en soit le prix demandé. Figurez-vous que ma collection…

— Il n'y a pas de prix demandé, monsieur. Actuellement, nous ne détenons qu'une photocopie, et nous ne connaissons pas le propriétaire de l'original. En ce qui concerne l'auteur, il n'y a qu'une éventualité.

— Le propriétaire, vous n'allez pas tarder à mettre la main dessus, j'en ai la certitude. Quant à l'auteur, je vais peut-être pouvoir vous confirmer ma première impression : pourriez-vous au moins me confier une photocopie de cette photocopie ? J'aimerais l'étudier.

Apparemment, cette conversation n'intéressait pas Monot. Il faisait le tour de la pièce, semblait admirer les livres anciens dans les rayonnages.

— Ne touchez à rien, lui enjoignit Saint-Croÿ.

Le charmant collectionneur était devenu sec, impérieux.

— Mes plus beaux autographes sont au coffre-fort. Mais ce que vous avez là, ce sont des éditions rares très recherchées, qui prennent trop de place pour y être rangées. Ce que vous alliez toucher, c'est une première édition des *Fleurs du Mal*, celle de 1857, qui a été condamnée pour atteinte à la morale publique et retirée de la vente. Dédicacée à Victor Hugo ! Celle dédicacée à Delacroix s'est vendue à plus de six cent mille euros.

— On trouve encore sur le marché français des raretés comme ça ? demanda Monot, émerveillé.

— Oh, en général, je n'ai pas à les trouver : ma réputation est telle qu'on vient me les proposer. Mais il m'arrive d'aller en chercher à l'étranger. Il y a deux jours, j'étais à Liège, par exemple.

Monot avait contourné le bureau de Saint-Croÿ, installé devant une fenêtre vers laquelle il se penchait.

— C'est joli, ces vitraux en face.

— Ce sont ceux de l'escalier. Si vous n'aviez pas pris l'ascenseur, vous les auriez vus dans la lumière de midi, ils sont encore plus beaux.

Viviane se leva, elle avait toujours exécré les conversations mondaines.

— Avez-vous autre chose d'important à me dire, monsieur ?

— Ne soyez pas stressée comme ça, attendez au moins votre jus de pamplemousse. Prenons le temps de bavarder un peu.

— J'ai beaucoup de travail. Du vrai travail. Venez, Monot.

Elle salua sèchement Saint-Croÿ qui les rattrapa sur le palier.

— Et n'oubliez pas la photocopie du manuscrit, commissaire, si vous voulez que je vous aide.

— Le lieutenant Monot viendra vous la porter cet après-midi.

Dans l'ascenseur, Viviane fusilla son adjoint.

— La prochaine fois, ne faites pas l'aimable avec ce phraseur, nous ne sommes pas là pour tenir compagnie à des rats de bibliothèque.

— Mais, commissaire, on ne l'a même pas interrogé…

— Ça vous fera des sujets de conversation pour cet après-midi, entre gens du même monde, entre lettrés.

En sortant, elle jeta un dernier coup d'œil consterné à la petite rue Robert-Estienne. Ce n'était même pas une rue, on aurait dit un décor de théâtre pondu par un artiste sans imagination : l'école mixte qui bouchait le fond de la perspective semblait inspirée d'une vieille carte postale. Les deux côtés de la rue étaient rigoureusement symétriques, mêmes immeubles de brique rouge, mêmes immeubles blancs, côté pair ou impair. La seule excentricité était une petite forêt tropicale sur un balcon. Détail amusant : le balcon était celui de l'appartement de Saint-Croÿ.

Fabien avait mis ce soir-là une chemise blanche, il mettait toujours une chemise blanche pour ces soirs-là. Il avait acheté chez le traiteur ce qui lui paraissait le plus raffiné : terrine de canard, langouste aux petits légumes et pavé aux noix, le tout avec un champagne millésimé. Rien n'allait avec rien, encore moins avec le régime de Viviane, mais ce n'était pas grave, Fabien était un bon copain. Viviane et lui s'étaient rencontrés l'année précédente, à l'occasion d'une obscure affaire de double comptabilité, pour laquelle Fabien, expert-comptable d'un des plaignants, avait facilité le travail de la brigade financière et donné quelques cours d'analyse de bilan à la commissaire. Il trouvait amusant de connaître une femme d'action, elle trouvait amusant de connaître un homme de chiffres, et ils avaient vite trouvé de quoi s'amuser plus durablement.

Viviane déplorait que Fabien fût si laid. Un léger strabisme soulignait son long nez qui tombait sur une immense bouche molle. Des genoux cagneux, des bras démesurés et ballants. Parfois, elle essayait d'oublier ça. Elle y parvenait suffisamment pour qu'ils soient amis et un peu plus dans la chambre. Mais pas davantage.

La nuit fut décevante : tandis que Fabien l'étreignait, elle pensa à Ludovic, comme chaque fois. Mais, ce soir-là, le fantôme de Ludovic ne put la transporter. Elle s'endormit frustrée, contre le torse velu de Fabien.

Vers les six heures du matin, Viviane caressa doucement ce torse, et reprit les affaires en main. Plus dominante qu'à l'habitude, plus exaltée aussi : elle pensait au petit Monot. Il était très bien, ce petit Monot.

Fabien, un peu surpris, se laissa conduire. À l'arrivée, il ne regretta pas cet abandon du volant. Et Viviane encore moins.

— Eh ben dis donc, conclut-il sobrement.

— Moi aussi, lui glissa-t-elle dans l'oreille.

Elle se rendormit, apaisée. Un bon dimanche de détente, et elle serait prête à affronter une dure semaine.

Dimanche 27 janvier

Elle n'ouvrit son portable que vers dix heures, peu après être rentrée chez elle. Ce fut pour trouver un message du lieutenant Monot : il avait besoin d'un conseil. Viviane l'appela en se promettant d'être gentille ; après une aube pareille, elle lui devait bien ça.

— Commissaire, excusez-moi de vous déranger le dimanche, mais je viens de recevoir un appel de Saint-Croÿ : il a peur. Nous avons passé l'après-midi de samedi à parler ensemble du sonnet et de Baudelaire, c'était très intéressant, il faudra que je vous raconte.

— Restez au sujet, de quoi a-t-il peur ?

— On lui a téléphoné à plusieurs reprises ce matin, et chaque fois on coupait dès qu'il décrochait.

Ça l'inquiète : il vit avec deux enfants étudiants et sa domestique, mais le dimanche, il est seul.

— Il n'a pas de femme ?

— Il est veuf. C'est peut-être cette solitude qui l'effraie : ce soir, sa domestique sera rentrée, et ses enfants aussi. En attendant, il voudrait un policier pour assurer sa garde. Moi, je me mets à sa place…

— C'est très gentil de votre part, Monot : le policier de garde, ce sera donc vous. Filez chez lui.

Il y eut un peu de tristesse dans le oui du lieutenant, et Viviane éprouva un fugitif remords.

Elle déjeuna légèrement et partit marcher au bois de Boulogne. Une quinzaine de kilomètres à un rythme soutenu, avec quelques séquences de course lente, pour transpirer et évacuer la crasse et les vilenies du métier. C'était son hygiène hebdomadaire.

Tôt le soir, après son bain chaud, elle écouta les *Partitas* de Bach, et dîna d'une salade de poivrons grillés, d'une tranche de saumon et d'un yaourt. Monot l'appela à nouveau.

— Il ne s'est rien passé. La domestique est rentrée. Je pars.

— Désolée d'avoir gâché votre dimanche pour rien.

— Non, pas pour rien, commissaire, ce type est passionnant. Nous avons travaillé sur le sonnet…

— Vous me raconterez ça demain, bonne soirée.

Viviane ouvrit son coffret de *Prison Break* enregistrés par Fabien, et en visionna deux épisodes. Ce fut au milieu du second qu'il y eut un nouvel appel : encore Monot ! Mais elle n'eut pas le temps d'être désagréable.

— Commissaire, Saint-Croÿ vient de m'appeler : on a tenté de l'assassiner. Je file chez lui.

Elle ne put répondre, il avait déjà raccroché. Elle aurait voulu lui dire d'être très prudent, mais elle n'était pas sa maman. Elle partit le rejoindre.

L'entrée de l'immeuble était glaciale et plongée dans l'obscurité. Dans les étages, la cage d'escalier se devinait, à peine éclairée par une porte palière ouverte. Viviane entendit la voix de Monot au deuxième :

— Monsieur Saint-Croÿ, ouvrez ! C'est le lieutenant Monot, de la PJ. Vous ne craignez plus rien.

Il était bien, Monot : autoritaire, rassurant, très PJ. Viviane lui cria qu'elle arrivait et gravit l'escalier en courant. Elle passa devant une fenêtre béante au mi-étage, et retrouva Monot sur le palier. Louis Saint-Croÿ avait ouvert et se tenait dans l'entrée ; un peu en retrait, Joa, en tenue de ville, inquiète. De plus en plus PJ, Monot leur demanda :

— Vous n'êtes pas blessés ?

Saint-Croÿ et Joa répondirent que non avec un parfait synchronisme.

— Qu'est-ce qui s'est passé ?

L'autographiste ferma la porte, et fit signe aux policiers de le suivre.

— Viens avec nous, Joa, dit-il doucement.

Viviane et son lieutenant empruntèrent le couloir qui tournait avant de déboucher sur le bureau. La fenêtre devant le bureau était percée d'un joli trou en toile d'araignée ; en passant, la balle avait semé sur le bureau quelques débris de verre, puis fait voler en éclats une vitre de la bibliothèque. On avait tiré de la cage d'escalier en face, la fenêtre aux vitraux était restée ouverte.

— Je regardais la télévision, dans le séjour. Joa était rentrée depuis un peu plus d'une heure. Elle est venue me dire qu'il n'y avait plus de lait — j'en bois chaque soir un verre avant de dormir. Elle est partie en acheter chez l'épicier arabe de la rue Bayard, puis elle est revenue.

— En rentrant, j'ai remarqué qu'il n'y avait plus de lumière dans le hall et les escaliers, ajouta Joa.

— Oui, le détail peut avoir son importance, poursuivit Saint-Croÿ. Je suis allé lui ouvrir, elle a rangé le lait à la cuisine. Je me suis installé devant mon bureau et j'allais rédiger une chronique pour la *Gazette baudelairienne* dont je suis l'animateur, quand Joa est venue me demander si j'avais encore besoin d'elle. C'est alors qu'on a tiré. J'ai entendu la balle siffler au-dessus de ma tête. J'ai plongé sous mon bureau, et j'ai crié au secours. Joa a eu une réaction absurde, elle a pris mon grand coupe-papier, et elle est partie dans l'escalier sans se rendre compte du danger. J'ai couru derrière elle, je lui ai crié de rentrer. Elle est remontée, et j'ai appelé le lieutenant Monot qui m'avait laissé son numéro de portable. Il était vingt et une heures quinze.

Il avait débité tout cela d'une traite, très calme, fier d'avoir survécu.

— Je n'avais pas peur, j'avais le coupe-papier, précisa Joa.

— Joa vient du Cameroun, précisa à son tour Saint-Croÿ, comme si au Cameroun toutes les femmes s'élançaient, impavides, un coupe-papier à la main, dès qu'on importunait leur employeur.

Il était près de vingt-deux heures. Le tireur avait eu largement le temps de disparaître.

— Qu'en pensez-vous, Monot ? demanda Viviane.

Il n'y avait aucune perfidie dans sa question, elle avait vraiment besoin d'entendre quelqu'un réfléchir à sa place.

— Pour entrer, le tireur devait connaître le code, décréta Monot. C'est forcément un familier.

— Non, un code ça se donne, ça s'observe quand un locataire le compose.

Monot insista, têtu, c'était pénible :

— Non seulement ce devait être un familier, mais plus probablement un occupant de l'immeuble : comment aurait-il coupé l'électricité ? C'est sûrement le tireur qui l'a coupée pour ne pas être surpris, une arme à la main, dans l'escalier.

Saint-Croÿ était un brave homme, il vint à la rescousse de Viviane :

— Couper l'électricité des parties communes, il n'y a rien de plus facile. Le tableau est bien visible à l'entrée, devant la loge du concierge, qui est de sortie le dimanche : il ne rentre que dans la soirée.

— Bon, n'en parlons plus. Que fait-on ? demanda Monot avec une grimace vexée.

Viviane hésita. Il fallait laisser quelqu'un sur place. Pas seulement pour recevoir la brigade scientifique qui prendrait les empreintes sur la fenêtre dans l'escalier, mais aussi pour interroger tous les voisins, puis les enfants Saint-Croÿ quand ils rentreraient. La commissaire était la mieux placée pour ça. Mais elle voulait tellement se sentir la plus étrangère possible à cette affaire et Monot voulait tellement s'y impliquer, c'était sa première enquête. Elle n'allait pas lui refuser ce plaisir.

— Ça vous ennuie de rester, Augustin ?

Il hocha une tête d'employé appliqué, et elle lui expliqua le programme des réjouissances. Ça ferait partie de sa formation. Il notait, docile.

Alors qu'elle allait sortir, Saint-Croÿ s'approcha avec un petit air gêné.

— Avant que vous ne partiez, commissaire, il y a un détail que je ne vous ai pas encore signalé, car il me paraissait sans importance. Mais maintenant qu'on essaie de m'assassiner, je préfère…

Il avait tout du vieux gamin qui a commis une bêtise et vient l'avouer.

— Le jour où on a tué le clochard, j'étais juste à côté, quai Conti, en train de discuter depuis une demi-heure avec un bouquiniste. J'ai vu arriver les pompiers, à moins de cent mètres. Ce n'est même pas une coïncidence : je traîne souvent sur les quais, on peut y dénicher de très bonnes surprises.

— Vous avez été témoin de l'agression ? Il fallait le dire tout de suite !

— Non, je n'en ai pas été témoin, j'ai juste vu arriver les pompiers. Et hier, vous n'étiez pas disposée à bavarder. De toute façon, je ne suis pas de ceux qui, après chaque attentat, se font une gloire d'être passés là une heure plus tôt, vous voyez le genre ?

Elle voyait le genre : pour ces choses-là, elle était comme Saint-Croÿ. Elle lui donna l'absolution et repartit vers la porte. Cette fois-ci, ce fut Monot qui la retint.

— Et pour les médias qu'est-ce qu'on fait, commissaire ?

Elle les avait oubliés, ceux-là. Sans eux, c'était trop facile.

— Service minimum, je m'en occupe. On botte ça en touche, sur le point presse de demain soir.

Le lieutenant sembla un peu déçu ; il méritait quand même un geste.

— Vous me disiez que vous avez une amie ou une petite amie à *20 minutes*. Appelez-la pour lui donner le scoop. Ah, pendant que j'y suis : demain, sortez donc votre chemise Ralph Lauren et votre veste noire, elles auront du travail.

CHAPITRE 7

Lundi 28 janvier

Le lieutenant Monot arriva dans l'open space, le regard endormi, juste avant le déjeuner, et passa dans le bureau de sa commissaire.

— Je vous fais le point ?

— Il n'y a rien d'urgent ? Ça peut attendre cet après-midi ?

Viviane eut le temps d'interpréter le coup d'œil que Monot lui avait jeté. Il lui avait gâché son plaisir : elle avait réussi à entrer dans son petit ensemble Caroll mais, Monot l'avait remarqué, ça la boudinait un peu.

Elle avait suffisamment de travail pour ne plus y penser. Dans le quartier chinois, la situation empirait : un restaurateur avait été égorgé avec un fil d'acier. Sa veuve, terrorisée, affirmait qu'il s'était fait ça par accident, en préparant le riz cantonais. Elle ne parlerait jamais, et Viviane ne voyait pas par où reprendre l'affaire qui devenait explosive. Il fallait passer le dossier au Quai des Orfèvres, et le capitaine De Bussche qui s'en occupait aurait du mal à l'accepter.

Il était bien, De Bussche, très consciencieux. Quand il avait été nommé à la 3e DPJ, il ne connaissait pas la différence entre un nem et un rouleau de printemps. Aujourd'hui, il savait dessiner par cœur la carte de la Chine et du Viêt Nam, et même celle du XIIIe arrondissement. Il sortait avec une Chinoise, et commençait à comprendre le mandarin.

Monot rôdait autour du bureau de Viviane ; elle était à cran, elle ne voulait pas entendre parler du sonnet. Elle botta à nouveau en touche quand il tenta une incursion dans le bureau l'après-midi.

— On verra ce soir, Monot. On sera plus tranquilles. En attendant, mettez-moi tout au clair, par écrit. Ce que vous avez noté, ce qu'on peut envisager, vous voyez le genre ?

Le lieutenant eut un bon sourire, il voyait le genre. Il avait de la chance : elle, elle ne voyait rien. À dix-sept heures trente, elle se leva.

— Monot, on y va ?

Elle avait tenté de lancer ça d'un petit ton insouciant, mais l'échec fut flagrant : tout l'open space dressa la tête.

— Vous emmenez Monot au point presse ? demanda le capitaine De Bussche, comme si l'idée eût été burlesque. Monot ?

— Ces réunions font partie de sa formation, et puisqu'il est sur l'enquête, il peut y être utile. Au pire, il pourra lire la poésie.

Elle hésita à se corriger, elle avait remarqué que Monot ne disait jamais *poésie* mais *poème*. Et, le plus souvent, *sonnet*. Elle avait vécu trente-sept ans sans se soucier de pareils distinguos, et ne s'en était pas plus mal portée. Dans quelques semaines, elle aurait oublié tout ça.

Ils étaient maintenant dans la Clio, et elle ne pouvait plus y couper.

— Alors, Monot, par quoi on commence ?

— Par le sonnet. J'ai eu de longues discussions avec Saint-Croÿ, il pense qu'il est vraiment de Baudelaire. Vous voulez que je vous en parle ?

— Je vous fais confiance. Vous pourrez l'expliquer au point presse ? Faites court, pas de littérature, vous voyez ce que je veux dire. Ensuite ?

— L'affaire d'hier soir. La brigade est passée : pas d'empreintes sur la poignée de fenêtre de la cage d'escalier. On a retrouvé la balle tirée, plantée dans un livre de la bibliothèque. Ils vont l'examiner. Je suis allé interroger tous les voisins. C'est un immeuble de vieux, ils étaient tous chez eux ce soir-là, et leurs témoignages concordent : le bruit d'un coup de feu, le cri de Saint-Croÿ, la descente et l'appel dans les escaliers. Le voisin du troisième a ouvert sa porte, mais n'a pas osé descendre. Il n'a vu personne, à part Joa quand Saint-Croÿ lui a crié de revenir.

— Et Saint-Croÿ, il va mieux ?

— Il a peur : on a essayé de le tuer, donc on peut recommencer. Il s'est réfugié chez un cousin à Versailles, accompagné par Joa. Il a laissé ses enfants à Paris et m'a donné son numéro de portable.

— Les enfants de Saint-Croÿ, vous leur avez parlé ? Ils sont comment ?

— Des gosses de riche, commissaire, des études bidons. L'aîné, Pierre-Paul, a vingt-cinq ans, il fait un master de médiation culturelle et va partir en stage à Brest. La fille, Laurette, vingt-deux ans, commence une école d'attachée de presse. À mon avis, papa les aidera toute leur vie.

— Et papa, alors, de quoi vit-il ?

— Il a commencé riche : son père est mort il y a quelques années, et sa mère depuis longtemps. Ils lui ont légué le grand appartement du deuxième, deux petits trois pièces au cinquième, et trois chambres de bonne : avec les loyers que ça lui rapporte, il est à l'aise. Le père du père était lui aussi grand connaisseur de Baudelaire, et lui a légué une bonne partie de la collection actuelle. Ses enfants, eux, s'en fichent, et Saint-Croÿ en est assez déçu.

— Un vieux schnoque, dépassé par son siècle, c'est ça ?

— Non, pas du tout. Assez moderne, même. Très branché internet, avec un bel équipement informatique, un scanner haut de gamme et des logiciels très pointus pour les analyses d'écriture. Ça lui sert pour étudier les autographes. Un document qui vient de chez lui prend plus de valeur sur le marché : il en achète et il en vend en ligne, se déplace quand il faut, et fait de très bonnes affaires. Sauf pour ce qui touche à Baudelaire : là il achète, et ne vend jamais.

— Rien d'autre ?

— Si, un truc très drôle que je vous montrerai au feu rouge.

Le prochain feu allait être vert : la commissaire ralentit, elle voulait voir le truc si drôle. Au feu rouge,

Monot lui tendit une photo : c'était Joa nue, magnifiquement nue, vêtue d'un collier et de boucles, de métal et de pierre, lançant une jambe en l'air, comme pour un début d'entrechat.

— Saint-Croÿ dormait. Alors, en attendant le retour des enfants, j'ai fouillé dans leurs chambres. J'ai trouvé ça dans un tiroir.

Viviane contempla longuement, un peu jalouse, *le corps noir et puissant* : cette fille était belle comme un poème. Mais son œil n'était pas *las* : il était effronté, rieur. Et Monot susurra, rigolard :

La très chère était nue, et connaissant mon cœur,
Elle n'avait gardé que ses bijoux sonores...

— Pourquoi vous dites ça, Monot ?

— C'est le début d'un poème de Baudelaire. Un de ses plus connus.

La commissaire se renfrogna. Elle ne savait plus quoi ajouter ; avec ces deux vers, Monot l'avait déboussolée.

— Ah, il écrivait des trucs comme ça, Baudelaire ? Et cette photo, vous l'avez trouvée chez le fils, Pierre-Paul ?

— Non, non, commissaire ! Chez la petite Laurette !

— Tiens donc, Joa et la fille Saint-Croÿ ! Le monde change ! Eh bien, Baudelaire ou pas, le poème n'est pas perdu pour tout le monde !

Le lieutenant gloussa. Puis il ajouta, après une brève hésitation :

— Je voulais vous dire aussi : ça vous va très bien, le rose.

Heureusement qu'il commençait à faire noir, car le rose, Viviane sentit qu'elle en avait soudain plein les joues.

La salle du ministère était bondée, et une jeune femme mince aux courts cheveux cendrés vint les accueillir, assez froidement. Avant même que la souris grise eût ouvert sa petite bouche pincée, Viviane sut qu'elle allait la détester toute sa vie.

— Je suis Priscilla Smet, du ministère de l'Intérieur. Nous nous sommes parlé au téléphone.

La dircom les regarda d'un petit air satisfait, comme un maquignon qui vient d'acheter du bétail, en commençant par les sabots puis en remontant jusqu'aux cornes.

— Parfait, lieutenant, votre stylisme. Ça va très bien avec votre teint, cette chemise bleu ciel qui se détache sur le noir de la veste. Vous aussi, commissaire, ajouta-t-elle avec un sourire vachard, vous avez respecté le briefing, c'est exactement ce que j'avais demandé : pas trop élégant, pour faire contraste.

Et Viviane pensa qu'elle ne détestait pas suffisamment cette pétasse.

— Dépêchez-vous, ça va commencer, conclut la dircom.

Comme si ça pouvait commencer sans Viviane, sans Monot ! Cette petite Smet faisait penser au Monsieur Loyal du cirque. Partout où elle passait, elle devait faire entrer les gens, les faire sortir, les gourmander, réclamer des applaudissements. Savait-elle bien ce qu'était un commissaire de DPJ ? Viviane se promit d'en toucher deux mots au Tout-Puissant. Il était d'ailleurs là, une vraie surprise, c'était la première fois qu'elle le croisait à un point presse. Elle n'y avait jamais vu tant de monde.

— Vous n'avez appelé que *20 minutes*, Monot ?

— Oui, mais l'info a été reprise sur leur site, il y a eu du buzz.

Maintenant, il fallait aussi gérer le buzz… le progrès la tuerait ! Viviane emmena Monot face à la meute, le fit asseoir à son côté et s'adressa à l'assistance, très à l'aise, souriante, charmeuse :

— Bonjour, je suis la commissaire Viviane Lancier, de la 3e DPJ, je vous rappelle les faits…

Mais tout le monde semblait connaître les faits. On l'écoutait à peine poliment. Sans qu'on lui ait passé la parole, Priscilla Smet résuma vite :

— Donc actuellement, un mort et deux tentatives d'assassinat. Cela pour un mystérieux sonnet que le lieutenant Monot va nous lire.

D'un ample geste — il ne lui manquait que la redingote rouge — Priscilla Smet invita le lieutenant à se lever. Les flashes crépitèrent. Monot commença la lecture de *L'Une et l'Autre*.

Quand mon âme vomit la beauté, le divin,
Les chœurs harmonieux et la femme trop pure,
Ma gourme la conduit par une sente obscure
Vers la case aux relents de vanille et de vin.

Nu sur le lit m'attend le corps noir et puissant
D'une esclave à l'œil las, délivrant sa chair veule.
Sous sa bouche corail, frémit, se cambre et feule
Une vestale juive au saphisme innocent.

Il balaya l'assistance d'un long regard ingénu et poursuivit :

Hanches et seins blafards, ventre et cuisses d'ébène
Ne sont plus qu'un grouillis de stupre et de désirs.
Ô temples entr'ouverts, ô fervente géhenne !

Attisez mon ardeur, arrachez mes soupirs !
Et je crois voir languir, en un spasme éreinté,
L'avenir infécond de notre humanité.

Le salaud ! Cette fois encore, il avait été époustouflant. Il s'était même offert la coquetterie d'essayer des phrasés différents. Viviane nota que certains journalistes le contemplaient d'un œil rêveur, certaines surtout. Avant que la dircom ne s'en mêle, Viviane assura la transition :

— Nous avons fait examiner ce sonnet par un expert de la poésie baudelairienne. Le lieutenant Monot va nous donner ses conclusions.

— En bref, lieutenant, coupa Priscilla, Baudelaire ou pas Baudelaire ?

Viviane fulminait : insupportable, cette greluche était insupportable.

— Madame, gronda Monot, on ne va pas ajouter si vite un nouveau sonnet à l'œuvre de Charles Baudelaire. C'est ici de littérature que l'on parle.

Ah, il était parfait, le petit Monot ! Il l'avait mouchée, la morue. Viviane en fut tout attendrie. Son jeune lieutenant déroula :

— Selon M. Saint-Croÿ, grand connaisseur et détenteur de la plus belle collection d'autographes de Baudelaire, le sonnet semble authentique. La prosodie est typique du poète, rimes pauvres sans consonnes d'appui, *pure-obscure*, *désirs-soupirs*, mais images riches. Le cheminement est éminemment baudelairien : refus d'une morale convenue, descente dans la fange pour y cueillir les fleurs du mal, jouissance esthétique, aspiration religieuse et méta-humaniste.

Viviane observait Priscilla : paf, la consonne d'appui et l'aspiration méta-humaniste, elle en était bouche bée, la dircom !

— S'agirait-il d'un pastiche très habile ? relança Monot. On pourrait le croire, tant sont présentes toutes les balises de l'univers baudelairien : les parfums, le vin, l'exotisme des partenaires, et bien sûr le lesbianisme. Dois-je vous rappeler que *Les Fleurs du Mal* devait initialement s'appeler *Les Lesbiennes* ?

Il était passionnant, pourquoi n'avait-il jamais parlé de ça à Viviane ?

— Le vocabulaire est très baudelairien : *âme, harmonieux, vin, chair, cuisses, seins, ventre, hanches, languir, temple, géhenne*, on en trouve de multiples occurrences dans les poèmes auxquels vous pensez tous.

Comme si elle y pensait, la Priscilla !

— Mais il y a aussi des originalités jamais vues chez Baudelaire : *gourme, sente, vanille, corail, grouillis*. Un auteur qui aurait voulu pasticher le poète s'en serait tenu à un vocabulaire plus classiquement baudelairien pour faire plus vrai. Comme parfum, il aurait évoqué l'ambre ou le benjoin plutôt que la vanille, par exemple. Vous me suivez ?

Évidemment que tout le monde le suivait ! Il était irrésistible, son adjoint.

— Donc, au vu du poème, fortes présomptions. Et il y a une preuve plus décisive, hélas introuvable : M. Saint-Croÿ dont je parlais se souvient avoir vu passer, il y a longtemps, une lettre où un poète parnassien raconte à un ami une soirée durant laquelle Baudelaire, invité, aurait émerveillé l'assistance avec ses *temples entr'ouverts*…

Une main se leva dans la salle.

— Pour être un peu moins vague, c'était une lettre de Pierre Dupont à Ernest Prarond, il y évoquait une soirée littéraire passée rue de Seine, chez Louis Ulbach, donc vers 1842.

La salle s'était tournée vers l'intervenant qui lança un tendre sourire.

— Je suis Louis Saint-Croÿ, directeur de la *Gazette baudelairienne*. Excusez-moi, c'est ce matin que j'ai retrouvé une vieille note sur cette lettre. Cela dit, la lettre, je ne l'ai pas : on me l'a proposée il y a une dizaine d'années, mais à un prix bien trop élevé pour un petit message où l'on ne faisait que mentionner Baudelaire. À l'époque, j'avais cru que « les temples entr'ouverts » dont parlait Pierre Dupont, c'était le nom d'un tableau : Baudelaire en achetait fréquemment puis s'en défaisait avec de lourdes pertes. Je n'ai pas noté qui était le vendeur de cette lettre, désolé, j'en croise des dizaines chaque année : dès qu'on trouve un vieux document où Baudelaire est cité, je suis le premier qu'on vient voir. Mais ma collection est une sélection, pas une accumulation : je n'achète pas tout. Je rends la parole au lieutenant qui parle très bien de Baudelaire, je n'aurais pas fait mieux.

Le lieutenant Monot reprit la main.

— Et maintenant, les questions qu'il faut se poser : pourquoi ce sonnet est-il si longtemps resté secret ? Pourquoi sème-t-il la mort chez ceux qui s'en approchent ? Les deux questions sont-elles liées ?

Viviane fut impressionnée par sa façon de poser les problèmes, on aurait dit un politique. Pourquoi avait-il choisi la police ? Un jour, elle le lui demanderait. Il parlait si bien de la littérature :

— En retenant la date citée par M. Saint-Croÿ, ce sonnet serait une œuvre de jeunesse de Baudelaire, un souvenir épicé de son voyage à l'île Bourbon. Et si le poème est resté clandestin, c'est tout simplement parce qu'il était impubliable. Aucun journal, aucun éditeur, n'aurait accepté de proposer au public une œuvre aussi scandaleuse. *Le Léthé*, qui fut condamné par la justice, avait beaucoup choqué pour moins que ça. Je vous rappelle les quelques sublimes vers :

Dans tes jupons remplis de ton parfum
Ensevelir ma tête endolorie,
Et respirer, comme une fleur flétrie,
Le doux relent de mon amour défunt.

En entendant ces vers, Viviane se sentit frissonner ; était-elle la seule dans l'assistance ? Combien étaient-elles à rêver d'ensevelir la tête endolorie dans leurs jupons ?

— Baudelaire aurait décidé d'archiver ce sonnet, sans doute pour éviter de griller sa candidature, finalement avortée, à l'Académie française. Cela, c'est la solution la plus crédible. L'autre est plus farfelue : ce poème serait porteur d'un danger, d'un secret qui ne peut tomber entre toutes les mains. Un secret que les tueurs tentent de protéger. Je ne veux pas faire du *Da Vinci Code*, je n'en dirai pas plus. J'espère ne pas vous avoir condamnés à mort en vous le lisant : mais je vous rassure, les téléspectateurs ont survécu.

Monot avait ponctué ça du rire condescendant qui s'imposait. Un murmure parcourut la salle, et il écarta les mains pour imposer le silence.

— Si la liste des morts continue à s'allonger, la raison nous imposera cependant d'examiner cette déraisonnable hypothèse. Des questions ?

Une petite main toute vibrante se leva.

— Je suis journaliste à *Entre Elles*, magazine de l'actualité lesbienne, et je suis scan-da-li-sée par la publicité faite à ce sonnet : c'est un peu commode de s'abriter derrière Baudelaire pour caricaturer le saphisme, en faire une sorte de spectacle pour voyeurs, réservé aux esclaves blacks et aux vierges juives. Ce n'est pas seulement dégoûtant, c'est une vision homophobe expressément condamnée par la loi.

Monot n'eut pas à répondre, d'autres mains s'étaient levées, se tendaient pour arracher le micro. Une journaliste noire à l'accent américain protesta contre la protestation et demanda au nom de quoi le lesbianisme devrait être réservé aux femmes blanches et libres ; le correspondant israélien du *Maariv* trouva regrettable cette inclusion d'une vestale juive dans le poème, elle ne pouvait que nuire aux bonnes relations franco-israéliennes ; le représentant de *Familles de Foi* exigea la censure pure et simple de ce répugnant sonnet, qui, au train où allaient les choses, pourrait finir par circuler dans les écoles ; ce qui provoqua l'intervention fougueuse du rédacteur en chef de la *Revue laïque des collèges* qui réclama, au contraire, sa lecture en préalable aux cours d'éducation sexuelle prévus par la récente circulaire que…

Le brouhaha était total. Avec un grand sourire, Priscilla Smet fit signe aux policiers d'évacuer l'estrade, le point presse était apparemment terminé. Mais les participants ne voulaient plus partir : ils semblaient enchantés de s'apostropher, de s'indigner. Priscilla avait attrapé Monot par le bras droit, Saint-Croÿ par le gauche, et les promenait, de groupe en groupe. Viviane entendait son adjoint rassurer les uns et les autres, parler de la nécessité de relativiser dans le contexte historique, de Shakespeare beaucoup plus scandaleux, de Musset bien plus obscène.

Elle observait et se sentait terriblement étrangère à ce petit monde : les médias se donnaient en spectacle aux médias, ils se repaissaient les uns des autres. Elle s'enfuit avec la navrante certitude que cette enquête la dépassait.

Mardi 29 janvier

— On va devoir trouver du nouveau, annonça Monot. Priscilla m'a fait promettre de venir avec des biscuits pour le prochain point presse.

Viviane foudroya son lieutenant du regard : il appelait la petite Smet par son prénom, que pouvait-il donc lui trouver ?

— Eh bien, puisque vous les avez promis à votre Priscilla, cherchez-les, vos biscuits ! Qu'est-ce que vous proposez ?

— On pourrait lancer une analyse graphologique du sonnet, pour en avoir le cœur net sur l'hypothèse Baudelaire. J'en ai parlé à M. Saint-Croÿ, qui, d'abord, n'a pas paru emballé. Puis il a rappelé pour nous proposer un texte autographe de Baudelaire, datant de la même époque, afin de faciliter la comparaison.

— Parfait, amusez-vous avec ça.

La commissaire se rabattit sur les affaires du jour. Deux prostituées avaient été assassinées près du bois de Vincennes. Elle envoya le lieutenant Monot enquêter avec le GPX Pétrel. Puis elle fila au Quai des Orfèvres pour préparer la transmission du dossier de racket dans le quartier chinois. La vie reprenait son cours.

Mercredi 30 janvier

Viviane avait changé de régime, elle essayait le dissocié de Demis Roussos. Elle arriva en pleine forme chez Durisly, son collègue de la 2e DPJ, rive droite. Elle avait besoin d'échanger, d'avoir un point de vue informel sur le dossier du sonnet. Durisly était proche de la retraite. Avec l'âge, il avait acquis une grande aptitude à écouter, donc à faire parler. Quand elle eut tout déballé, il soupira.

— Tu es tombée dans une affaire de collectionneurs, et je te plains : elles sont longues et compliquées. Ces gens-là sont des vampires, ils rêvent de bouffer les célébrités. Ils commencent comme des idéalistes, ils admirent un homme fameux, ils acquièrent quelques œuvres rares. Puis, peu à peu, ils mettent la main sur les manuscrits, les lettres intimes de leur héros, ses brouillons, ses carnets de comptes. Ils deviennent d'affreux capitalistes, finissent par vouloir le monopole, dictent les prix sur le marché, tuent la concurrence. Ils se permettent tous les coups tordus jusqu'à se considérer comme l'héritier unique du défunt ou sa réincarnation. J'en ai même connu un qui a fini par se prendre pour son idole, il avait réussi à acheter sa maison, ses meubles, ses fringues.

Viviane sourit : le portrait ne collait guère avec celui de Louis Saint-Croÿ. Elle avoua à Durisly qu'elle n'y comprenait rien. Ça lui avait fait du bien de le dire, et elle s'en fut soulagée.

En arrivant à son bureau, elle trouva sur son répondeur un message que Durisly venait de laisser :

— Si tu n'y comprends rien, c'est sans doute qu'il est trop tôt pour comprendre. N'essaie pas de trouver des suspects, reprends les rencontres, revois les protagonistes. Ils te cachent peut-être quelque chose, volontairement ou involontairement.

Le conseil de Durisly ne semblait pas idiot. La commissaire décida de refaire le tour des *protagonistes* — le mot la faisait rire —, elle aurait moins l'impression de patiner. Elle appela Patricia Mesneux qui l'accueillit presque aimablement : il y avait « un point » dont elle voulait parler à la commissaire, le plus vite possible. Elle avait dit cela d'un ton mystérieux.

CHAPITRE 8

L'entrée que la veuve était en train de poser sur la table, un mélange de carottes râpées et de mortadelle, paraissait écœurante. Il n'y avait que deux assiettes, et Viviane craignit que la seconde ne soit pour elle, ce serait incompatible avec son régime dissocié. Mais la veuve Mesneux la rassura :

— On allait passer à table, Gary et moi. Gary, c'est mon plus jeune. L'aîné, Clément, fait son semestre Erasmus à l'étranger, il est à Dublin depuis un mois. On a un peu de temps pour causer : Gary est dans sa chambre, il se prépare pour le hand, après le déjeuner.

Elle parlait à la commissaire d'un ton à la fois embarrassé et courroucé, comme si elle l'avait convoquée pour une réprimande.

— Voilà, j'ai consulté un avocat : le poème, on ne sait pas s'il est de Baudelaire, mais il appartenait à mon mari, car en fait de meuble, possession vaut titre, c'est l'article 2279 du Code civil. À mon mari, donc à moi, puisque nous étions en communauté universelle.

Elle avait débité ça avec application, et repris son souffle, comme pour aborder le passage le plus difficile de la récitation :

— Je veux qu'on me rende le poème. La police n'a pas à le lire comme ça, en public, et les journaux n'avaient pas le droit de le diffuser sans mon autorisation. Mon avocat va d'ailleurs leur réclamer des dommages et intérêts.

Viviane hocha la tête. Elle sentait monter l'envie de blesser cette femme, un bon coup de griffe qui ferait mal longtemps.

— Très bien. Ce n'est qu'une photocopie, mais je vous l'enverrai. J'étais venue pour autre chose : vous saviez que votre mari était propriétaire d'un appartement avenue Victor-Hugo à Paris ?

Patricia s'assit, pâle. Elle commençait à regretter son Pascal. Elle faisait peine à voir, c'était bon.

— Non. C'est un combien de pièces ?

— On ne sait pas encore, on essaie de le localiser. C'est pour ça que je suis venue vous voir, je pensais que vous pourriez m'aider.

— Je ferai tout ce que je peux. Je vais chercher dans les vieux papiers.

La veuve était désormais souriante, craintive. Toute soumise. Et Viviane ne savait quoi lui demander. Elle improvisa :

— Vous me disiez que votre mari écrivait des poèmes sur des cahiers. Je pourrais vous emprunter un de ses cahiers ?

— C'est rien que des délires d'écrivain à la noix, vous pensez que ça peut avoir de l'intérêt pour votre enquête ?

Viviane sentit monter en elle une nouvelle poussée de malfaisance. S'il y avait un au-delà, Pascal Mesneux allait y entonner un alléluia.

— De l'intérêt, peut-être, je verrai. En tout cas, de la valeur, sans aucun doute. Si les journaux en parlent, tout est différent, c'est prévendu. Ça peut intéresser le public, donc les éditeurs. Je vous conseille d'ailleurs d'être prudente avec les médias : ils peuvent vous aider, mais c'est très susceptible, un média.

À la surprise de Viviane, Patricia Mesneux éclata de rire.

— Oh, ce serait drôle : il a passé des années à essayer de se faire éditer, il expédiait ses manuscrits aux maisons d'édition, et tout le monde l'envoyait promener. Les enfants et moi, on attendait chaque lettre de refus des éditeurs, et c'est triste à dire, elles nous faisaient bien rigoler. Mais ça finissait par coûter cher en timbres et en photocopies.

Où cette femme avait-elle appris à être aussi méchante ? Était-ce héréditaire ? Son fils était-il pareil qu'elle ? Il fallait voir.

— Je peux parler à Gary, seul à seul ? demanda Viviane.

Patricia la conduisit vers une chambre et tapa à la porte.

— La commissaire va te parler, Gary. Réponds bien, c'est important.

Elle n'avait pas osé dire qu'il y avait un appartement à gagner, mais cela se sentait au frémissement de sa voix.

Le jeune Gary jeta à Viviane un bref regard chassieux, et continua le laçage de ses baskets. Il y en avait quatre autres paires au pied du lit.

— Tu en as, des paires de baskets !

Il releva la tête. C'était un vieil adolescent à la mine fatiguée par les nuits solitaires. Il avait le teint mat, les cheveux corbeau, et l'odeur lourde du vieux tee-shirt sorti du sac de sport après une semaine d'oubli.

— Une paire pour le lycée, une pour en ville, une pour sortir, une pour le sport, et ma paire pour le hand. Dites-moi « vous », c'est obligatoire, on a appris ça en instruction civique.

— Dans ce cas, dites-moi « commissaire ». Vous vous rappelez la paire que vous portiez, le vendredi 18 janvier matin ?

— Vendredi, anglais puis deux heures d'éco, c'est la paire du lycée.

— Commissaire. On dit « c'est la paire du lycée, commissaire ». Et vous y êtes allé, au lycée ?

Gary regarda Viviane, dérouté, il n'était pas habitué à ce qu'on le mouche, à ce qu'on ose le questionner sur sa vie privée.

— Pour l'anglais, oui, mais pas pour l'éco, jamais, commissaire. On est nombreux à sécher, la prof n'ose rien dire. Elle a trop peur pour les pneus de sa bagnole. C'est pour ça qu'on m'envoie une commissaire, commissaire ? Vous n'avez pas de travail ?

Il avait appris au moins une chose au lycée, c'était l'art de parler aux flics.

— Qu'est-ce que vous avez fait ? Où étiez-vous ?

— Au Carrefour. On a glandé, commissaire.

— « On », vous étiez plusieurs ?

— Évidemment, pour glander, faut être plusieurs. Pourquoi ? Chez les commissaires, on glande tout seul, commissaire ?

— Vous avez des copains qui pourraient en témoigner ?

— Autant que vous voulez, commissaire.

Autant de copains que Viviane voulait, prêts à certifier ce que Gary leur demanderait : ces petits gars étaient plus forts que des truands. Il fallait changer de thème, attaquer par l'émotion.

— Vous l'aimiez bien, votre père ?

Gary leva les yeux, pas même au ciel, juste au plafond.

— Une question comme ça, pff, on peut répondre n'importe quoi, qui peut vérifier ?

Zéro pour les sentiments. Le gamin avait ouvert une armoire pour y prendre un pot de gel dont il s'emplit la main avant de travailler sa coiffure. Viviane le regardait à peine ; ce qui l'intéressait, c'était l'étagère croulant sous les livres. Tous des polars. De bons auteurs.

— Vous aimez les polars ?

— Ça ne vous regarde pas, c'est ma vie privée.

Viviane fut un peu déçue, elle aurait aimé parler polars avec un jeune connaisseur. Elle se contenta donc d'une bonne vieille question de polar :

— Vous faisiez quelque chose de spécial, dimanche dernier, le soir ?

— De pas spécial, commissaire, c'était la fête du hand. Combien de témoins il vous faut ? J'en ai une cinquantaine, j'ai même le président !

— Ça vous dérange que je vous prenne en photo ?

Avant qu'il ait dit non, Viviane avait dégainé son téléphone portable et appuyé sur la touche. La photo était excellente, bien cadrée sur le visage enfiellé qui faisait la grimace. La commissaire referma la porte.

Patricia l'attendait dans le séjour, tenant un cahier qui sentait le moisi.

— Alors, demanda-t-elle en remettant à Viviane le précieux florilège, vous lui avez parlé de l'appartement ?

— Je vous laisse lui annoncer la surprise.

Le regard de la veuve était devenu celui d'un vautour chaugoun.

— Nos relations avec Pascal étaient ce qu'elles étaient, mais Gary reste son fils. Clément aussi.

On parle toujours des gens qui se fâchent pour des histoires de gros sous, pourquoi ne parle-t-on jamais des gens que ça peut réconcilier ? Viviane l'interrogea sur son travail, et Patricia ronronna de plaisir.

— Ça vous arrive d'être absente, à la mairie ?

— Avec les responsabilités que j'ai ? Il faudrait vraiment que je sois très malade ; ça ne s'est pas produit depuis un an.

Viviane s'en fut en faisant promettre à la veuve de remuer la maison pour trouver les papiers de l'appartement, sans oublier la cave. Elle repartit heureuse. Il y avait dans ce métier des joies dont elle ne se lassait pas.

Elle était revenue à son bureau depuis dix minutes quand Gérald Tournu, le livreur-surfeur, fit une entrée radieuse, un vrai chevalier blanc ; une tête de citoyen modèle, il se tenait droit, le regard fier. Il répondait en articulant distinctement. Mais il n'avait rien de plus à raconter, tout était dans la déposition prise par Monot. Il la relut, la signa, il était d'accord avec lui-même. Viviane lui proposa de tenter un portrait-robot.

— Non, je n'ai pas assez de souvenirs, j'ai à peine vu son visage. Lunettes noires, brun et frisé, c'est tout ce que je peux dire.

Viviane lui montra la photo du jeune Gary, encore toute fraîche sur l'écran de son téléphone.

— Celui-là, il vous dit quelque chose ?

— Peut-être bien. Il faudrait que je le voie de dos.

— Et comment vous le reconnaîtriez ?

— Sur la veste de jogging, il y avait un détail qui n'allait pas. Je ne sais plus quoi. Si ça me revient, je vous appelle.

Il se retira en esquissant un garde-à-vous.

Dans l'open space, tout brûlait : en faisant le tour des bistrots, le GPX Pétrel avait appris qu'on avait vu plusieurs fois Tolosa près de l'hôpital Saint-Joseph. Un bébé venait d'être enlevé près de la place d'Italie ; c'était le fils de commerçants vietnamiens. Une banque avait été attaquée rue de Vaugirard. Un forcené avait pris son ex-compagne en otage près de la place Georges-Mulot : il réclamait qu'on lui rende ses enfants. Et un appel téléphonique anonyme avait signalé qu'un garage près de la porte d'Ivry maquillait des voitures volées.

Ce fut à ce moment que Monot débarqua.

— Voulez-vous que je vous parle de l'affaire du sonnet ?

— Non, mais si vous avez du temps à perdre, lisez ça ce soir, dit-elle en lui donnant le cahier de Pascal

Mesneux. Et pour votre sonnet, faites ce que vous voulez, mais envoyez-en d'abord une photocopie à Patricia Mesneux. Puis donnez un coup de main à Pétrel : cherchez le nom de tous les parents de Tolosa. Ensuite, vous ferez un rapprochement en relevant les identités de tous les hospitalisés du Groupe Saint-Joseph. Attention, le groupe, c'est plusieurs hôpitaux. La direction s'y opposera : annoncez-lui qu'il y a un risque d'attentat avec un complice à l'intérieur, inventez n'importe quoi. Et envoyez-moi le capitaine De Bussche, qu'on parle du bébé enlevé.

— Et pour l'analyse grapho ?

— Rien à cirer, faites ce que vous voulez, j'ai dit. Filez.

Monot se retira, effaré. Il semblait découvrir qu'une journée de fièvre dans la police pouvait ressembler à un feuilleton de télévision. Peut-être même à *Urgences*.

Jeudi 31 janvier

Le lendemain, le calme était revenu. Le bébé avait été rendu aux commerçants vietnamiens. C'était, affirmaient-ils, un simple malentendu : des amis avaient emporté le bébé et avaient oublié de prévenir. Oui, madame la commissaire, là-bas, chez nous, c'est très courant. Ah, pas en France ? On ne savait pas. Quels amis ? On ne les connaît que de vue. Non, oh non, bien sûr, on n'a payé aucune rançon.

Le forcené avait rendu sa femme, en pleurant. Un succès du lieutenant Juarez, toujours excellent dans le rôle du psy. La banque attaquée rue de Vaugirard allait modifier son double portail de sécurité et le garagiste de la porte d'Ivry avait été arrêté. On tenterait de remonter la filière. Tout allait bien.

Et le lendemain, tout alla encore mieux : on avait découvert que la mère de Tolosa était en phase finale d'un cancer à l'hôpital Saint-Joseph, il ne restait plus qu'à préparer une souricière. Viviane appela le lieutenant Juarez, les brigadiers Escoubet et Gamoudi pour les briefer.

Mais Escoubet, le bon grognard, se mit à grognonner :

— Alpaguer un truand qui vient voir mourir sa mère, ça me gêne, commissaire. Vous ne pourriez pas demander ça à un autre ?

Le lieutenant Juarez, lui, était resté terriblement froid ; il fixa Viviane d'un œil presque méprisant.

— Ce sera sans moi, commissaire. Et je pèse les conséquences de ma décision.

Un refus d'autorité, il savait ce que ça coûtait dans le dossier d'un gradé, mais il parlait à Viviane comme s'il essayait de lui sauver la mise :

— Trouvez une autre solution. Un truc pareil, ce sera désastreux pour l'image de la DPJ, et même de la police. Je dis ça pour vous.

Gamoudi hochait tristement la tête et sursauta quand Viviane explosa :

— L'image ? Qui nous demande de faire de l'image ? Vous vous croyez tous dans la pub ? Dans les médias ? Vous vous prenez pour des dircom ?

Les trois soupirèrent, comme s'ils écoutaient radoter le vieux militant d'une cause perdue. Elle les chassa du bureau, mais Gamoudi s'attarda.

— Ce n'est pas une bonne chose, commissaire. Je ne veux pas vous dire non, mais ça ne nous portera pas chance.

Il s'en fut, les épaules basses. Viviane se donna dix minutes pour réfléchir au calme ; elle les passa bien sûr à s'agiter, puis déboula dans l'open space. Ils avaient tous de vilains regards d'hommes qui se sont parlé.

Elle causa comme l'aurait fait Navarro. Elle rappela l'importance et les modalités de l'arrestation — c'était inutile, ils savaient —, puis elle demanda au moins deux volontaires pour le lendemain matin, avec un beau mélange de sentiments et d'autorité. Elle fut moins convaincante que Navarro : aucun volontaire.

Avant de repartir dans sa tanière, elle lança vers Monot un dernier regard, implorant, qui croisa brièvement le sien. Cela suffit, il avait reçu son appel à l'aide.

— Bon, puisque je suis le plus jeune, c'est à moi de m'y coller.

Il se leva pour rejoindre Viviane et, juste avant d'entrer chez elle, il lança :

— Tu ne vas pas me laisser tout seul avec la dame, Gamoudi.

Gamoudi se leva aussi.

— D'accord, mais je vous le dis, ça ne nous portera pas chance.

Elle les briefa pour le lendemain : rendez-vous fut pris devant le portail, avant l'heure des entrées.

Le reste de la journée s'écoula dans un lourd climat de désamour.

Vendredi 1er février

Cachée sous de grosses lunettes noires, Viviane arriva à l'heure devant l'hôpital, Monot aussi. Gamoudi ne devait plus tarder. Et pourtant, il tardait. Il finit par appeler :

— Ça se passe mal, commissaire. Ma Skoda est en panne à l'entrée de Thiais, avec un trou dans le carter. Je vais la laisser là pour la réparer ce week-end. Désolé, mais je vous l'avais dit, la malchance…

La Skoda de Gamoudi était une légende à la DPJ : elle tombait en panne chaque fois qu'on avait vraiment besoin d'elle et Gamoudi avait déjà dépensé en pièces détachées de quoi s'acheter deux voitures neuves. Mais il l'aimait comme un vieux chien, et ne se résolvait pas à l'abandonner. Là, c'était sa commissaire qu'il abandonnait.

Elle raccrocha, défrisée. Il lui restait à expliquer à Monot comment faire à deux ce qui était prévu à trois. Il écoutait, attentif, apeuré.

— Et si le type n'obéit pas, commissaire ?

— S'il n'obéit pas, c'est qu'il va porter la main à la poche pour tirer, alors tirez le premier. Je ne dis pas de tirer pour tuer, mais tirez dans le bras, dans la jambe. Je témoignerai que vous étiez en état de légitime défense. Que vous étiez, que vous alliez être, c'est pareil, hein, vu dans le futur.

Monot ne sembla pas convaincu par le raisonnement, mais n'eut plus le temps de discuter : Tolosa arrivait avec un comparse. Le malfrat avançait, tristement, lourdement, comme s'il allait déjà au cimetière ; il faisait presque pitié, mais ce n'était pas le moment. Viviane et Monot passèrent sur le trottoir d'en face, marchèrent jusqu'à la hauteur des truands, les dépassèrent, puis traversèrent pour leur emboîter le pas. Elle jeta un œil à Monot, il avait compris : Tolosa, pour la commissaire, et le comparse pour le lieutenant.

Les policiers s'écartèrent, Viviane passa à droite de Tolosa, Monot à gauche de son complice, ils braquèrent chacun leur Sig Sauer sur la tempe de leur voisin tandis que Viviane criait :

— Police, on ne bouge plus. Les mains derrière le dos, doucement.

Comme Viviane, Monot avait déjà passé à son truand le premier bracelet des menottes, mais c'était le second qui était difficile : si Gamoudi avait été présent, il aurait bouclé ça en un clin d'œil. Là, il fallait aller chercher l'autre main le long du dos de son prisonnier, lui passer l'autre bracelet. Si l'interpellé gardait sa main à la hanche, ça devenait dangereux : il pouvait sortir une arme de sa poche ou de sa ceinture. Tolosa avait compris que Viviane ne lui laisserait aucune chance, il tendit sa main.

Le truand de Monot était moins coopératif : le tigre avait senti la faiblesse du dompteur. Il garda le bras raide le long de la cuisse, puis le remonta lentement.

— S'il ne donne pas sa papatte, tirez, Monot !

Son adjoint lui lança un œil désespéré. Il n'allait

pas tirer, et le truand l'avait deviné : il avait humé chez Monot l'odeur de la peur. Viviane boucla l'autre main de Tolosa, tout en comptant « Un… ». Et elle eut juste le temps d'arrêter la main de son complice qui approchait déjà de la ceinture.

— Stop, on ne joue plus ! Moi je tire vraiment.

C'était fini : le type avait compris, il se laissa faire. Tolosa demanda alors doucement, presque tendrement :

— Commissaire, accordez-moi une faveur, d'homme à homme : laissez-moi aller dire adieu à ma mère pendant qu'elle est encore consciente. Et sans menottes, je ne voudrais pas qu'elle me quitte avec cette image. Je ne ferai pas de conneries. Je vous en donne ma parole.

Ce fut alors que Viviane regretta vraiment l'absence du lieutenant Juarez, d'Escoubet ou de Gamoudi. Avec eux, elle aurait pu prendre ce risque. Mais avec Monot ? Il était si fragile, presque ingénu. Elle se composa un visage plus dur.

— Tu vois ça avec le juge, Tolosa. Moi je ne peux pas décider.

Le regard de Tolosa s'embua, et comme il n'était pas une crapule pour rien, il lâcha :

— Je m'en souviendrai. La prochaine fois, vous aurez moins de chance. Cette fois-ci, vous en avez eu beaucoup : je vous ai vue passer sur le trottoir d'en face, mais je ne vous ai pas reconnue. Ce n'est pas à cause des lunettes noires, c'est parce que vous avez tellement grossi !

Viviane grimaça : le salaud, il avait visé juste. Le coup lui avait fait plus mal qu'une balle.

L'arrestation était terminée. Viviane félicita Monot, qui n'était pas dupe. Le boulot avait pris dix minutes, il restait la procédure, l'affaire de quelques heures. Elle laissa son lieutenant s'en occuper.

En fin d'après-midi, ils retrouvèrent la vie agitée et tranquille de la DPJ. Le téléphone sonna, elle espéra que ce serait Fabien : après l'arrestation de Tolosa, elle avait besoin de décompresser et elle n'allait pas dire non. D'autant plus que la folle aurore lui avait laissé de bons souvenirs.

Ce n'était pas Fabien.

— Commissaire Lancier ? Je suis Jean-Paul Cucheron, vous voyez ?

Non, elle ne voyait pas. Ce qu'elle voyait venir, c'étaient les emmerdements : rien qu'à la voix doucereuse, c'était évident.

— Jean-Paul Cucheron, le graphologue. Je viens d'apprendre par la presse que l'expertise du sonnet baudelairien est lancée, et je ne comprends pas que l'on ne m'ait pas encore fait signe. Nous sommes cinq ou six experts agréés sur la place, mais le spécialiste des écritures anciennes, il n'y en a qu'un, c'est Cucheron. Tout le monde le sait. J'ai même déjà eu l'occasion de faire une expertise sur l'écriture de Baudelaire.

— Une seconde, s'il vous plaît.

Elle posa le combiné et ouvrit la porte donnant sur l'open space. Monot était tout au fond, attablé devant une pile de journaux.

— L'expertise grapho du sonnet, c'est attribué ?

— Oui, on l'a refilée hier à Élisabeth Blum, mais…

Viviane avait déjà refermé la porte et repris le combiné :

— Désolée, monsieur Cucheron, c'est déjà sur les rails. On l'a confiée à Élisabeth Blum. La prochaine, ce sera pour vous.

Il y eut un rugissement au téléphone :

— Comment ? Encore la Blum ? Mais c'est n'importe quoi, vos attributions ! Tous les beaux dossiers sont pour elle et tous les foireux pour moi. Comment fait-elle ? Elle a des appuis, des réseaux ? Je me suis spécialisé en écritures anciennes pour avoir un créneau où elle me fiche la paix, et même là elle vient me piquer le boulot, cette rapace ! Elle fait ça juste pour le fric : qu'est-ce qu'elle y connaît, en écritures du XIXe ?

Viviane raccrocha avec quelques vagues paroles de sympathie. Monot était entré dans le bureau sans même frapper.

— Ce que je voulais vous dire, commissaire, c'est que ça doit rester confidentiel. Mlle Blum était très réticente, elle craignait l'effet serial killer. Je lui ai promis que son anonymat resterait préservé.

Viviane hocha la tête d'un air entendu.

— Et si vous en avez parlé à la presse, c'est bien sûr pour favoriser l'anonymat ?

— Ah, ça, vous n'avez pas voulu en discuter avec moi, alors je l'ai fait, mais sans donner de nom. C'est Priscilla qui me l'a conseillé.

Encore une affaire réglée. Viviane appela Fabien, elle tomba sur son répondeur et lui laissa un message : ça lui ferait du bien qu'il puisse la voir ce soir. Elle allait lui faire la surprise d'un dîner aux chandelles. Et de son ensemble Caroll rose : depuis la veille, elle pouvait l'enfiler sans tortillements, vive le régime dissocié !

Fabien la rappela : ce week-end, c'était impossible. Il partait à un congrès d'experts-comptables, et n'en revenait que lundi. Et elle eut soudain l'obscur pressentiment que cette fin de semaine serait calamiteuse.

Pour se donner le change, elle fit revenir Monot.

— Vous que les médias fascinent, vous avez sans doute préparé une revue de presse, après le point de lundi soir. Je peux la voir ?

Trente secondes plus tard, il était dans le bureau avec un épais classeur. Tout était joliment découpé, collé. Où trouvait-il le temps de jouer à ça ?

— Voilà, commissaire. Il y a des comptes rendus purs et simples du point presse, et les comptes rendus avec prises de position, bien plus nombreux : on ne croit guère à la coïncidence, on commence déjà à proposer des explications à la série, ou même des coupables. On trouve beaucoup d'interviews de Saint-Croÿ — il donne son point de vue sur l'origine baudelairienne du sonnet, il parle de la tentative d'assassinat, et de sa collection, il est intarissable là-dessus. Il lance aussi des appels au détenteur de *L'Une et l'Autre*, proposant d'acheter très cher le manuscrit original. Il y a encore, ce matin, une interview de Patricia Mesneux qui est prête à confier, au plus offrant des éditeurs, l'intégrale des œuvres de son époux. Dans les magazines, on a publié aussi des analyses du sonnet, réalisées par des sommités littéraires, qui convergent en général avec Saint-Croÿ, il y a même une exégèse par Jean Matsuyama, l'académicien.

— À propos, le cahier de poésies de Mesneux, vous l'avez lu ? Qu'en avez-vous pensé ?

Monot plissa le nez.

— D'un point de vue prosodique, c'est bien ficelé, mais c'est tout. Le savoir-faire y est, mais pas l'émotion, on a l'impression de lire une mixture de plusieurs poètes, aussi bien Rimbaud que Lamartine ou…

Viviane nota *prosodique*, elle irait voir ça dans le Larousse. Mais ce n'était pas ce qui lui importait le plus.

— Et le sonnet, s'il n'est pas de Baudelaire, Mesneux aurait pu l'écrire ?

— C'est difficile à dire. Techniquement, peut-être. Mais, en termes d'inspiration, je suis plus sceptique.

Monot allait se retirer, mais fit demi-tour pour ajouter d'un ton trop insouciant :

— Oh, j'allais oublier, dans la revue de presse, on peut lire aussi quelques interviews… de moi.

— De vous ? rugit Viviane. De vous, Monot ? Ça ne va pas ?

— C'est Priscilla Smet qui m'a demandé d'accepter. J'ai voulu vous en parler, vous m'avez dit de faire à ma guise.

En temps normal, elle l'aurait chassé en lui jetant le dossier de presse. Mais il était le seul à l'avoir soutenue dans l'affaire Tolosa : elle le sanctionna d'un petit rictus. Un peu plus tard, on tapa à la porte. Le brigadier Escoubet lui tendit une enveloppe.

— C'était dans la boîte aux lettres.

L'enveloppe, sans timbre, très ordinaire, portait le nom et le grade de Viviane, imprimés sur une étiquette.

Elle ouvrit et éclata de rire. Un sale rire nerveux, fatigué. L'enveloppe ne contenait qu'un feuillet sur lequel on avait agrafé une carte de visite très chic, gravée à l'anglaise sur un bristol épais : *Astrid Carthago, médium. Communications avec l'au-delà.* Tout en bas : 72, avenue de La Motte-Picquet, 75015 Paris. Et un téléphone.

Et, sur le feuillet, imprimés en gras, ces quelques mots : *Il y a là une source d'informations intéressante concernant l'affaire Baudelaire.*

Elle déboula dans l'open space ; elle y trouva Monot qui mettait à jour son dossier de presse, le lieutenant Juarez qui rédigeait un rapport que personne ne lirait, le brigadier Gamoudi qui négociait avec un casse-autos, le capitaine De Bussche qui, dictionnaire en main, tentait de traduire une lettre anonyme écrite en chinois, Escoubet qui sirotait un café, Pétrel qui téléphonait à sa femme, et le GPX Kossowski qui cacha en vitesse *Uppercut, le magazine de la boxe* : une bonne ambiance de vendredi soir.

Viviane se planta, la lettre en main, devant le bureau de Monot.

— Vous voyez où ça mène, votre cirque avec les journaux ? Regardez ce que je reçois, une invitation à aller voir une médium !

Elle avait crié, presque hurlé, et tout l'open space s'était retourné. Sous le regard peiné d'une demi-douzaine d'hommes, elle se sentit affaiblie, vaguement ridicule. Le malaise de la veille n'était pas dissipé. D'autant que Monot lui répondit doucement, comme on parle à une malade :

— Qui nous dit qu'il faut la voir en tant que médium ? Peut-être *la personne* est-elle intéressante. C'est d'ailleurs ce que semble indiquer la légende sous la carte.

Monot examina la carte de visite, Viviane savait ce qu'il allait proposer.

— Si vous voulez, commissaire, je peux y aller. On ne sait jamais.

— Pour que ce soit demain à la une de tous les journaux ? « La police s'en remet aux médiums » ? Non, non, avec vous, justement, on ne sait jamais. Laissez, c'est moi qui irai.

Viviane se tourna vers l'open space.

— Pas un mot là-dessus aux médias, ni aux collègues, ni à personne.

Elle lança à Monot d'une voix meurtrière :

— Pas même à votre Priscilla, ou à Miss *20 minutes*, compris, lieutenant ?

Elle partit se réfugier dans le bureau, en laissant la porte ouverte pour leur éviter toute tentation de commentaire goguenard, et composa le numéro d'Astrid Carthago. Ce fut une voix d'homme, assez jeune, mélodieuse, qui répondit :

— Je suis Christophe, l'assistant de Mme Carthago. Je gère son planning.

Viviane donna son nom et demanda un rendez-vous. Christophe eut un petit rire coquin.

— Oh, j'ai une bonne surprise pour vous, nous avons une annulation pour demain matin : il y a un créneau libre à neuf heures. Sinon, nous n'avons rien avant trois semaines.

Elle accepta, soulagée. Le samedi à neuf heures, il n'y aurait personne dans les rues, ce serait plus discret. Christophe ajouta :

— N'oubliez pas d'apporter un vecteur de communication.

— Un quoi ?

— Un vecteur. Une photo, une lettre, un support sur lequel Mme Carthago puisse travailler. Et nous n'acceptons ni les chèques ni les cartes de crédit.

Elle raccrocha sans oser demander combien coûtait le créneau. Ce soir-là, elle fit un accroc au régime dissocié et dormit mal.

CHAPITRE 9

Samedi 2 février

Même si elle s'en défendait, cette visite excitait Viviane. Elle n'avait jamais consulté les voyantes, les médiums. Elle s'en était tenue à l'écart, pour ne pas se donner l'impression de tricher avec la vie. Ce jour-là, elle avait enfin un alibi pour sauter le pas.

L'appartement d'Astrid Carthago était situé en bas de l'avenue de La Motte-Picquet, dans sa partie plus étroite, plus populeuse. On pouvait presque dire populaire. Mais ce matin-là, ça ne se voyait pas : ce début de février était si froid et les lits du samedi si douillets que l'avenue était déserte. Quelques passants sortaient de la boulangerie, dévorant leur baguette encore tiède. Sur le trottoir d'en face, un type en gros blouson semblait attendre un taxi, les mains blotties dans son sac en bandoulière comme pour les garder au chaud.

À côté de la porte de l'immeuble, une sobre plaque de marbre annonçait *Carthago, consultations*. Viviane y passa la main pour en apprécier le poli.

Consultations, on aurait pu croire qu'il s'agissait de consultations patrimoniales ou conjugales. Peut-être la Carthago les accordait-elle en bonus.

Dès l'ouverture de la porte, la commissaire fut déçue : elle avait espéré un appartement obscur, sentant l'encens, tapissé de velours et décoré de statues védiques, elle avait imaginé en Christophe un jeune homme délicat aux traits eurasiens, vêtu de soieries. Rien de tout cela : l'assistant d'Astrid avait des mains larges et carrées, comme ses épaules, comme sa tête de bon Breton rigolard, à demi enfouie dans un épais pull à col roulé. Et l'appartement était très lumineux, à peine meublé. Christophe la fit entrer dans un petit bureau, et lui remit une fiche de clientèle qu'elle remplit soigneusement, après une brève hésitation à la ligne « Profession » : elle indiqua « assistante sociale », après tout, ce n'était pas loin de la vérité : qu'était-ce qu'un flic sinon l'assistante sociale d'une société malade et abandonnée ? Christophe lui fit ensuite signer une déclaration par laquelle elle renonçait à toute poursuite envers Astrid Carthago, quel que soit le résultat de la consultation.

— Pourquoi ? Il arrive souvent que ça ne donne rien ?

— Non, c'est le contraire. Astrid Carthago entre en communication avec les défunts, et c'est parfois saisissant. Nous avons eu plusieurs crises de nerfs, ajouta-t-il, fiérot, comme un général parlant de ses pertes au combat.

— Les morts reviennent ? Ils parlent ?

— Oh, ça, c'est bon pour le cirque. Non, les

morts *écrivent* : c'est la main de Mme Carthago qui tient le stylo, et ce sont eux qui la guident.

— Vous faites écrire beaucoup de morts, comme ça ?

— Tous les jours, de neuf à seize, sauf le dimanche : ça n'arrête pas.

Il reprit la déclaration signée et chuchota :

— Pour les frais, c'est cent euros à l'entrée. Plus deux cents euros par quart d'heure si la communication est établie. Vous paierez après.

On entendit une sonnette. « Ça va être à vous », dit Christophe, en sortant. Il y eut une brève conversation à voix basse, un bruit de porte que l'on fermait, et Christophe revint chercher Viviane pour la conduire dans le bureau d'Astrid Carthago. Elle était exactement comme son cabinet, toute de mauve parée, et agressivement parfumée à la violette. C'était une blonde à lunettes, d'un peu plus de quarante ans, très maquillée, comme pour adoucir le regard triste d'une personne qui fréquente trop les morts.

— Alors, qui faut-il que j'appelle ? demanda-t-elle, bienveillante.

Viviane ne savait par qui commencer, elle avait peur de déranger les esprits. Elle sortit de son sac la photo de Pascal Mesneux, prise par Monot à la morgue.

— Mais c'est Victor Hugo ! s'exclama Astrid, toute joyeuse.

— Non, c'était un clochard : Pascal Mesneux. Il ressemblait à Victor Hugo, se faisait appeler Victor Hugo, mais ce n'était pas Victor Hugo.

— Ah, dommage : je communique souvent avec les écrivains, et Victor Hugo est un des contacts les plus faciles. Parfois, il vient sans même qu'on l'appelle, et il n'y a plus moyen de le faire décoller.

Elle posa une main sur la photo et la caressa doucement. De l'autre, elle saisit un bloc et un stylo.

— Ne parlez pas, sauf si je vous questionne, ordonna Astrid.

Le regard de la Carthago était devenu étrangement vide, elle était ailleurs, et bredouillait une incompréhensible psalmodie. Sa main gauche tournait doucement sur le portrait de Pascal Mesneux. Elle se crispa.

— Ça y est ! Il est là. Esprit de Pascal Mesneux, as-tu quelque chose à nous dire ?

Viviane ne savait s'il fallait rire ou frémir. La main droite d'Astrid commençait à écrire, par saccades. Viviane n'arrivait pas à lire, ce serait pour plus tard. Les traits de la médium s'étaient déformés, presque gonflés.

— Que voulez-vous savoir, madame ? demanda Astrid.

— Est-ce qu'il sait qui l'a tué ?

La main de la médium griffonna quelques autres mots, ce devait être la réponse, la commissaire palpita.

— Vous avez d'autres questions ? Vite, il s'en va, reprit la médium.

Viviane se sentit paniquer. Elle n'avait jamais parlé avec un défunt, c'était très embarrassant.

— Dépêchez-vous, une question, la pressa Astrid.

— Qui l'a envoyé à l'Académie française ?

La médium écrivit encore, puis posa son stylo.

— Fini, parti. Vous n'aviez pas préparé cet entretien, c'est dommage. Vous ne pourrez plus l'appeler avant trois mois, c'est la déontologie qui nous impose ça : sinon les défunts s'attachent trop aux vivants.

Astrid approcha la feuille, couverte d'un gribouillage tremblé, et lut avec sa cliente :

— Je lui ai demandé s'il avait quelque chose à nous dire, il a répondu : « Mes cent balles, mes cent balles ! » Ça a un sens pour vous ? Ensuite, vous lui avez demandé qui l'a tué, il a écrit « Je ne sais pas », puis vous avez voulu savoir qui l'avait envoyé à l'Académie, il a écrit « Un inconnu ». C'est tout. Vous semblez déçue.

— Je m'attendais à des réponses plus précises, des détails, des noms.

— C'est toujours comme ça. Chaque client croit que les défunts, là où ils sont, savent tout de nos petites histoires terrestres. Ils font ce qu'ils peuvent, les pauvres morts : ils ont du recul pour juger, mais ils ne sont pas omniscients pour autant.

— Ah, je vois, soupira pieusement Viviane.

— Le quart d'heure n'est pas encore écoulé. Voulez-vous que j'appelle quelqu'un d'autre ?

— Oui, Charles Baudelaire.

— Ah, Baudelaire, le cher Baudelaire, s'exclama Astrid, comme s'il s'agissait d'un vieil ami amoureux d'elle. Que va-t-on lui demander ?

— Je voudrais savoir si ce poème est de lui, dit Viviane en lui tendant un portrait du poète et la photocopie du sonnet.

— Là, au moins, c'est précis et c'est simple. La réponse ne pourra être que oui ou non. J'y vais.

Astrid prépara une nouvelle feuille et recommença son oraison invocatoire. L'appel fut beaucoup plus long que le précédent. « Je l'ai », dit-elle enfin. Et elle écrivit quelques mots, avant même d'avoir lancé la conversation. Sa mine s'allongea, et elle posa le stylo.

— Il a aussitôt coupé la liaison, je ne sais pourquoi. Voyons cela, dit-elle en lisant la feuille.

Une écriture ample et déliée avait écrit : « Je ne parle pas aux flics. »

— Il n'est pas très aimable, aujourd'hui. Vous êtes de la police ? s'étonna Astrid en regardant la fiche de visite. C'est dommage que vous nous l'ayez caché, c'est ça qui a dû lui déplaire.

Il était temps de mettre fin à cette comédie. Viviane lui demanda :

— Et vous, personnellement, vous n'avez rien à me dire ?

Astrid lui fit signe d'approcher, et chuchota gravement, presque au creux de l'oreille :

— Je peux vous dire que vous avez eu un bon réflexe professionnel en venant me voir : les morts sont parfois plus bavards que les suspects. Dommage, cette fois, vous avez procédé n'importe comment. Mais revenez souvent.

— Et en ce qui concerne l'affaire du sonnet, vous n'avez rien à ajouter ?

— Le sonnet que vous m'avez montré, c'est une affaire ? Non, je ne vois pas de quoi vous parlez. De toute façon, le quart d'heure est écoulé.

Elle agita la sonnette et mena la commissaire vers l'entrée. Viviane ne savait plus quelle contenance adopter : devait-elle se fâcher, ou payer et s'enfuir, tête basse, en bonne victime d'un grossier canular ? Elle serait de toute façon pitoyable. Astrid Carthago s'était retirée. Christophe était revenu et ne lui laissa plus le choix.

— Cent plus deux cents, ça fera trois cents euros !

La commissaire régla en liquide, et demanda un reçu qu'elle aurait du mal à faire passer en note de frais. Elle voulut en avoir pour son argent. Elle repensait à la légende « Il y a là une source d'informations intéressante ». Et si la source, c'était Christophe ? Elle le fixa, mystérieuse.

— Vous avez peut-être quelque chose à me confier ?

Il la dévisagea et Viviane rougit : il semblait la prendre pour une vieille femme libidineuse. Elle insista :

— Vous voudrez peut-être me revoir de façon plus privée. Donnez-moi vos coordonnées ; je vous laisse mon numéro de portable.

Christophe prit une carte d'Astrid, ajouta au dos un numéro de portable et son nom — Le Marrec — puis lui ouvrit la porte, comme il eût chassé une gourgandine. Elle s'enfuit, lamentable.

Elle ne voulait pas rentrer au commissariat, elle ne voulait pas entendre Monot lui demander comment ça s'était passé, avec son bon regard d'enfant sage. Elle voulait encore moins affronter les sourires rentrés de l'équipe du samedi. Elle avait honte d'elle, honte de cette odeur de violette qui s'était incrustée. Elle ne voulait rien. Les soldes avaient commencé depuis trois semaines, c'était le meilleur endroit pour ne rien vouloir.

Elle passa sa journée à échapper aux vendeuses, à fuir devant son reflet dans le miroir. Quand un modèle lui plaisait, elle le demandait en une taille en dessous, pour s'encourager à mincir, puis, sachant qu'elle n'y parviendrait jamais, le prenait en une taille au-dessus au cas où. Elle se trouvait vraiment trop moche là-dedans, boudinesque, pachydermique, et le rendait en haussant les épaules. Ce fut ainsi toute la journée. Une journée horrible, au milieu de chipies à qui tout allait bien, de garces qui semblaient se réjouir quand la queue devant les cabines était trop longue, et en profitaient pour se déshabiller sans honte au milieu du magasin pour mieux exhiber leur taille exempte de bourrelets. Rien n'allait à Viviane, tout la rendait moche. Elle s'acheta finalement, comme l'an dernier, un pantalon noir qui faisait stretch, et une veste grise assez ample, sans forme. Comme elle.

Elle rentra pour s'infliger la *Passion selon saint Jean* de Bach, commanda par téléphone une grande pizza, avec une pâtisserie, et passa la soirée avec des grilles de Sudoku. Elle dissocierait un autre jour.

Dimanche 3 février

Il faisait trop froid, ce dimanche matin, pour partir au Bois en pénitente et éliminer les séquelles de la folle soirée. Elle descendit tard chez le Tunisien et lui acheta un ananas et un fromage blanc à 0 %.

L'épicier lisait *Le Journal du Dimanche*. Il releva la tête, admiratif.

— Vous avez vu ? On parle de vous dans le journal.

Il lui montra l'article qui occupait trois colonnes en page quatre. Il y avait un titre : « La commissaire chez la médium », un sous-titre : « La police en plein mystère dans l'affaire du sonnet », et surtout une photo, apparemment prise au zoom : c'était la commissaire Viviane Lancier de la 3e DPJ. Oui, c'était elle, qui caressait de la main la plaque de marbre *Carthago, consultations*. Alors elle reposa ses achats, acheta un cassoulet toulousain en boîte, un clafoutis sous plastique, une bouteille de beaujolais nouveau, fit un saut chez le marchand de journaux et remonta chez elle pour y passer un fantastique après-midi.

Viviane lança les *Variations Goldberg* du cher Jean-Sébastien, et entama le déjeuner pour se donner du courage. Elle lut *Le Journal du Dimanche* en vidant la moitié de la bouteille pour aider l'article à descendre, le cassoulet aussi. Sa mère appela au téléphone, c'était un vrai bonheur, il ne manquait plus que ça.

— Vivi, c'est Mom, tu es dans le journal.

C'était le bonheur de Mom : découvrir sa fille dans le journal. Elle en avait fait l'applaudimètre de sa carrière, elle en parlerait toute la semaine au bureau. Mais aujourd'hui, Mom resterait sur sa faim.

— Ah oui, mais je ne peux pas t'en parler, je suis dans mon bain.

Et Viviane raccrocha. Les bains, c'était la seule façon d'avoir la paix quand sa mère l'appelait : Mom avait peur de se faire électrocuter. La commissaire relut l'article qui lui parut impossible à avaler. Elle s'attaqua au clafoutis, vida la bouteille, puis donna une dernière chance à l'article. Mais non, les trois colonnes lui collaient toujours les mêmes aigreurs d'estomac.

Après un bref point sur l'enquête et les échecs de la police *qui n'avait excellé que dans la lecture du sonnet face aux caméras*, la journaliste esquissait les pistes qu'ouvrait *la ténébreuse affaire*. Elle s'amusait du *rationalisme rigide* de la commissaire qui, en conférence de presse, *balayait d'un revers de la main* toutes *les hypothèses échappant à son entendement*, pour aller, le lendemain, consulter *à l'insu des médias* une médium réputée. Elle donnait des détails sur les techniques et la prestation d'Astrid Carthago et supputait la teneur de *l'appel au secours* que la commissaire avait pu lui adresser.

Ce qui bouleversait Viviane, c'était ce petit « à l'insu des médias », comme si elle était supposée leur rendre compte de toutes ses activités, de toutes ses réflexions. Elle ne comprenait rien à cette enquête, qu'aurait-elle donc pu leur faire partager ?

Qui avait averti la journaliste de cette visite à Astrid Carthago ? Qui était dans l'open space cet après-midi-là ? De toute façon, cela ne signifiait rien, ils en avaient peut-être discuté ensuite. On pouvait parler derrière son dos, la critiquer, elle avait du mal à s'imaginer ça, elle se sentait si proche d'eux.

Pourquoi avaient-ils fait ça ? À cause de l'histoire Tolosa ? C'était à elle de leur en vouloir, pas le contraire. Ou était-elle devenue tellement pénible qu'ils cherchaient à obtenir sa mutation en la mettant dans une situation intenable, bien ridicule, par un coup tordu ? Des manœuvres comme ça, on en voyait dans les séries policières à la télé.

Elle n'arrivait pas à le croire. Le traquenard devait tout simplement venir d'un paparazzi qui avait lancé l'invitation, puis planqué en attendant qu'elle se jette dans la toile tendue devant chez la médium. Sans doute le type au sac, qu'elle avait remarqué sur le trottoir d'en face. Ça devait se vendre cher, un scoop pareil.

Demain, elle appellerait les enquêteurs du *Journal du Dimanche* pour leur demander leurs sources, mais ils allaient lui rire au nez : le droit à l'information, ça ne fonctionnait que dans un sens.

L'article se terminait par un pavé dans lequel Christophe Le Marrec était interviewé. Il refusait noblement d'infirmer ou de confirmer la venue *de la très médiatique commissaire Viviane Lancier* : la confidentialité des visites était une obligation déontologique ; Astrid Carthago comptait parmi ses clients de nombreuses personnalités du show-biz, il n'était pas question de jeter leur nom aux quatre vents, dans l'espoir d'une vaine médiatisation, alors que sa patronne comptait déjà trop de clients.

Il y avait donc des métiers où l'on avait le droit de refuser une vaine médiatisation pour ne pas avoir trop de clients. Elle les enviait.

Elle accorda à la très médiatique commissaire Viviane Lancier une sieste à titre exceptionnel. Le soir, elle y verrait plus clair. Au début de la nuit, elle se réveilla la bouche pâteuse, et se planta devant la télévision jusqu'à retomber dans un sommeil encore plus lourd.

Lundi 4 février

La journée commençait mal : comme il faisait beau, Viviane décida de remettre l'ensemble rose qui troublait son jeune lieutenant. Pas moyen de l'enfiler. En arrivant au bureau, elle fit venir Monot.

— Vous avez vu l'article dans *Le Journal du Dimanche* ? Qui a lâché le morceau, c'est vous ?

— Non, commissaire, je vous en donne ma parole. J'ai posé la question à toute l'équipe, personne n'a parlé. Vous savez, cette histoire, c'est désastreux pour l'image de la DPJ.

Il y avait dans cette réponse une telle pitié, un tel chagrin qu'elle eut envie de pleurer. Mais il n'en était pas question, elle était le chef. Elle lui raconta la séance d'un ton aussi bonasse que possible.

— Est-ce que, dans la presse, on avait fait mention de la dernière phrase de Mesneux ? Vous savez, « mes cent balles, mes cent balles » ?

— Oui, commissaire, j'en ai parlé dans une interview, et d'autres journaux ont repris la citation.

Elle hocha la tête, pensive : Astrid n'avait donc rien trouvé seule, ses trois cents euros paraissaient de moins en moins remboursables.

— Dites-moi, vous qui surfez sur internet, il y a eu aussi des échos de cette visite chez la Carthago ?

— Oui, beaucoup, commissaire. Ils ont repris ça

sur tous les sites des médias, sur leurs forums de lecteurs.

Viviane lâcha un « enfoirés de médias », et allait faire sortir Monot quand celui-ci la regarda, un peu tendu.

— Je peux vous parler franchement, commissaire ? Vous ne devriez pas réagir comme ça à propos des médias. Ce genre de commentaires donne une mauvaise impression de vous. Moi, je vous connais, je sais que vous valez mieux que ça. Mais vu de l'extérieur, c'est perçu comme…

— Comme quoi, Monot ? Allez-y, très flic ?

— Oh non, même pas : très franchouillard. Je dis ça pour vous.

— Merci pour le conseil, Augustin.

Il sortit et Viviane posa les pieds sur son bureau pour mieux réfléchir. Ainsi, elle ne se contentait pas d'être très médiatique, d'être assez allumée pour fréquenter les médiums, elle était aussi très franchouillarde et ne s'en rendait même pas compte. Elle croyait que toute la police était comme ça, il avait fallu Monot pour la mettre en garde. C'était un truc à corriger très vite, plus urgent que sa surcharge pondérale.

Un toc-toc à la porte interrompit son repositionnement idéologique ; le GPX Pétrel apportait un carton de courrier venu du siège de la PJ. L'article sur la visite chez Astrid Carthago avait ouvert le portillon de l'occultisme, et bon nombre d'illuminés s'y étaient engouffrés. Puisque la police ne dédaignait plus l'ésotérisme, ils étaient prêts à l'aider. Ils avaient passé leur dimanche à tenter de percer l'énigme du sonnet et s'étaient empressés de déposer le fruit de leurs recherches au Quai des Orfèvres, qui s'était dépêché de faire suivre chez Viviane le douteux trésor. Toutes les techniques de cryptogrammes avaient été mises à contribution, et toutes trouvaient quelques résultats. Différents, bien sûr.

Avec la méthode de substitution diagrammatique de Giambatista della Porta, un chercheur avait réussi à trouver le mot *alkimia* au milieu du poème, cela semblait de bon augure. Ah bon ! D'autres avaient préféré le code Rébecca, pour isoler certains mots. On avait notamment trouvé *calix*, et *ponant*. Avec le système Vigenère, on avait fait apparaître *clef* et *azur*. Enfin, la technique polyalphabétique de Jean Trithème permettait d'isoler *daimon* et *spiritus*.

Tous promettaient de poursuivre leurs recherches et se tenaient à la disposition de la police judiciaire pour une éventuelle collaboration, fût-elle bénévole. Un illuminé assurait même que le poème était « une simple prophétie » qui avait annoncé la Seconde Guerre mondiale : *le corps noir et puissant*, c'était évidemment les corps d'armée nazis qui s'en prenaient à l'*innocente vestale juive*.

Viviane rangea les bouleversantes révélations dans le carton et partit acheter une salade composée. À son retour, elle trouva Monot qui l'attendait dans son bureau : il voulait lui faire part de deux conversations téléphoniques.

La première avait été avec Christophe Le Marrec qui s'inquiétait : il recevait depuis le début de la matinée des appels pour Mme Carthago qui s'interrompaient quand il décrochait.

— Je lui ai proposé une mise sur écoutes, mais il était un peu réticent : il y a des personnalités parmi les clients. Elles exigent la confidentialité. Christophe Le Marrec voulait savoir si on pouvait lui garantir la discrétion totale de nos gars. Qu'est-ce que je réponds ?

— Garantir leur discrétion totale ? La réponse est non.

Ella avait répliqué ça froidement, mais elle en aurait pleuré.

— J'ai aussi parlé avec Patricia Mesneux, poursuivit Monot. C'est pareil, elle reçoit des appels sans suite. Elle veut porter plainte et demander des dommages et intérêts.

— Dites-lui que c'est la rançon de la gloire médiatique.

Le téléphone sonna : c'était le Tout-Puissant. Elle fit signe à Monot de sortir : ce serait le meilleur moment de la journée, elle se préparait à ses félicitations. Mais la voix parut étrangement froide.

— J'ai eu vent de l'affaire Tolosa, ma petite Viviane. Les résultats sont là, et je ne sais comment vous dire…

— Oh, il n'y a rien à dire, monsieur le directeur, c'est notre travail. Et le lieutenant Monot a droit à sa part d'applaudissements.

— Non, Viviane, je ne crois pas que les applaudissements soient de circonstance. C'est délicat, cette arrestation quasiment au chevet de la vieille maman mourante. Ce sera perçu comme une lâcheté, ça déplaira aux médias. Le lieutenant Monot n'a fait qu'obéir, mais vous auriez pu attendre la sortie de Tolosa et l'interpeller dans la rue.

— Non, il y a quatre sorties, il avait une chance de nous échapper.

— C'est ce qu'on va nous reprocher, de ne pas lui avoir laissé une chance. Vous voyez ?

Lui laisser une chance ? Une chance de quoi ? Et que devait-elle voir ? Quelques années plus tôt, une passante, une grande gamine, avait été abattue par une balle perdue lors de l'arrestation de Tolosa, elle la voyait encore dans ses cauchemars, ça lui suffisait.

— En tout cas, Viviane, évitez le sujet lors du point presse de demain. Nous dirons qu'une enquête est en cours. Et l'affaire du sonnet, ça progresse ? Il y a des pistes, à part chez les médiums ?

Elle grommela quelques mensonges suffisamment vagues et rassurants pour écœurer le Tout-Puissant qui raccrocha.

Les rapports de la brigade scientifique étaient arrivés : aucune empreinte, aucune trace ADN de qui que ce soit sur quoi que ce soit. Viviane enrageait, c'était la faute de ces séries télé, elles avaient fait trop de pub au labo de la police scientifique. Désormais, tout le monde se méfiait, et on enfilait des gants médicaux pour écrire une lettre anonyme, parfois même simplement avant de tuer quelqu'un.

Le GPX Pétrel entra à nouveau, sans frapper.

— Commissaire, il y a un appel du commissariat du boulevard Garibaldi : on a assassiné Mme Blum, rue Cépré.

C'était qui, déjà, cette Mme Blum ? Ah oui, la graphologue !

CHAPITRE 10

Viviane monta dans la Clio en compagnie de l'inévitable Monot. Elle était furieuse contre lui. À y réfléchir, tous les ennuis venaient de cet abruti : s'il n'avait pas déplacé le corps du clochard, l'affaire aurait moisi tranquillement entre les mains de la 1re DPJ. S'il n'avait pas fréquenté cette copine de *20 minutes*, Viviane n'aurait pas été embarquée dans cette histoire d'empoisonnement bidon. S'il n'était pas allé jouer les érudits avec la copie du manuscrit chez Saint-Croÿ, il n'y aurait sans doute pas eu de tentative d'assassinat. Cette idée de graphologue, c'était la sienne. Et qui avait choisi Élisabeth Blum ? Encore lui.

Cela commençait à faire beaucoup, c'en était même suspect : elle jeta sur lui un regard policier. Mais le cher ange sourit niaisement.

— Oui, commissaire ?

— Vous aviez déjà rencontré Élisabeth Blum ?

— Bien sûr, jeudi, pour lui donner la photocopie du sonnet, et celle d'un autographe de *La Servante au grand cœur*, écrit par Baudelaire à la même époque. Saint-Croÿ n'a pas voulu me confier l'original, c'est la plus belle pièce de sa collection, mais il en a fait la photocopie devant moi. Puisqu'il s'agissait de comparer avec une autre photocopie, ce n'était pas gênant.

— Elle était comment, cette dame ?

— Vieille fille ronchonne. Elle ne parlait qu'à regret, d'une voix chuchotante, comme une ombre timide. Elle vivait seule avec un chat dans son appartement. Très craintive : elle m'a appelé dimanche soir, pas contente. Elle venait de recevoir l'appel d'un autre graphologue, un certain Cucheron, alors que je lui avais garanti l'anonymat. C'était vraiment très gênant pour moi. Je ne sais pas d'où est venue la fuite.

Viviane préféra ne pas relever, elle klaxonna pour écarter un scooter.

— Avait-elle reçu d'autres coups de fil ? Des appels coupés au moment où elle décrochait ?

— Je ne sais pas, commissaire, elle ne m'en a pas parlé.

Le lieutenant semblait gêné de poursuivre. Il reprit son souffle.

— Vous ne trouvez pas ça inquiétant, cette série ? Vous avez remarqué, il suffit d'avoir eu la copie manuscrite du sonnet *entre les mains* pour avoir droit à l'assassinat ou la tentative d'assassinat.

Viviane klaxonna à nouveau derrière le pauvre scooter qui ne lui avait rien fait, mais cela ne suffit pas à neutraliser Monot qui insista sans tact :

— Mesneux, puis vous, puis Saint-Croÿ, puis Blum. Il n'y a que moi qui y ai échappé. Et la médium, vous lui avez montré le sonnet ?

Le lieutenant devenait pénible, Viviane soupira et botta en touche.

— Et les Immortels, à l'Académie, ils sont morts ? Et Patricia Mesneux ? Restons sérieux, Monot : elle avait déjà commencé l'analyse, la dame Blum ?

— Oui, et selon elle, le manuscrit est authentique, il est bien de la main de Baudelaire. Il y avait des bizarreries dont elle voulait me parler.

Viviane gara la Clio devant le domicile de la graphologue, rue Cépré. Un bel immeuble moderne, avec ses pelouses propres et son jardin, dans une petite rue provinciale, qui la fit rêver : pourquoi la DPJ n'était-elle pas installée dans un tel paradis, loin de la véhémence de la ville, plutôt qu'avenue du Maine où les voitures passaient comme sur un toboggan, laissant des sillages de feu et de sang ? La DPJ n'aurait plus eu à traiter que des histoires de chiens bruyants et de vélos perdus. Mais il fallait se faire une raison : c'était ici, dans ce paradis, qu'on avait tué la graphologue. Les policiers du commissariat du XVe attendaient Viviane devant la porte.

— C'est à quel étage ? demanda-t-elle.

— Comme vous voulez, répondit le plus âgé avec un énorme rire.

— Je vous demande l'étage.

— Hé, hé, elle a été tuée dans l'ascenseur.

Le comique planton, c'est comme le comique troupier en plus lourd : Viviane se força à sourire et monta. L'ascenseur avait été bloqué au quatrième. La brigade scientifique était déjà à l'œuvre, le médecin légiste aussi : Viviane le connaissait, c'était un type taiseux, sérieux. Il semblait offensé par cette morte qui s'était laissé assassiner dans l'ascenseur : la cabine était minuscule, ils avaient dû tirer le corps sur le palier pour mener à bien l'examen.

— Alors, docteur, c'est grave ?

— Ça a fini d'être grave, ça s'est passé vers midi trente, à une demi-heure près. Étranglée par ce foulard de soie rose qui semble être le sien, il porte le même parfum qu'elle. Mort très rapide.

— Tuée par un homme ?

— Les strangulations, oui, normalement, ce sont des crimes d'homme. Mais cette dame était tellement rachitique que n'importe qui peut avoir fait ça. Pas plus difficile à étrangler qu'un chiot.

Viviane jeta un coup d'œil dans l'appartement : les scientifiques étaient à l'œuvre, c'était beau comme à la télévision.

— Elle habite ici, à l'étage ? La porte était ouverte ?

— Non, mais elle avait les clefs dans son sac.

Viviane appela le policier de garde en bas de l'immeuble :

— Pourquoi nous a-t-on appelés si tard ?

— Parce qu'on l'a découverte tard : c'est un locataire du cinquième qui l'a trouvée vers quinze heures quand il a voulu descendre. Il est formel : l'ascenseur est venu de l'étage d'en dessous.

Le légiste était parti rejoindre l'équipe de la scientifique. Viviane resta devant la porte, en compagnie de Monot et de Mme Blum : une petite femme au teint jaune, que l'étranglement avait rendue boursouflée. Son ultime grimace aurait terrifié les lecteurs de mangas les plus endurcis. Monot la contempla en fronçant les narines.

— Vous n'êtes pas habitué aux cadavres, hein, Monot ! Ça vous dégoûte ? Il va falloir faire des efforts, c'est notre pain quotidien. Pas de macchabées, pas de policiers.

Mais Monot ne répondit rien : il continuait à fixer le cadavre en secouant la tête, en reprenant son souffle.

— C'est difficile à expliquer, commissaire, mais je me sens…

— Un peu coupable, c'est ça ?

Il éclata en sanglots. Elle le prit dans ses bras et le laissa s'abandonner, si grand et si fragile. Le ventre dur de son adjoint s'appuyait contre ses seins, et le menton venait s'enfouir dans ses cheveux courts. Mais ça lui faisait du bien, au chérubin. À elle aussi. Ce fut à ce moment que sortirent l'équipe scientifique et le légiste ; ils sourirent, gênés.

— On vous laisse faire un tour, mais ne touchez à rien. On vous attend sur le palier.

Elle envoya Monot se rafraîchir et commença à fureter. Sur la table de travail traînaient les photocopies du sonnet et de *La Servante au grand cœur.* Elle était en train de lire le poème quand Monot revint.

— Celui de *La Servante au grand cœur* aussi, il est beau. C'est réussi, cette description des cadavres et des vers, dit-elle en lisant à voix haute :

Tandis que, dévorés de noires songeries,
Sans compagnon de lit, sans bonnes causeries,
Vieux squelettes gelés travaillés par le ver,
Ils sentent s'égoutter les neiges de l'hiver.

Monot laissa flotter un poétique silence. Il semblait heureux.

— Oui, très beau, commissaire. Je vous en parlerai un jour.

Elle hocha la tête, et lui adressa un sourire, un vrai. Elle en ajouta un autre, un sourire de flic, en lui montrant l'agenda ouvert.

— Regardez, j'ai trouvé encore plus beau !

À la date du jour, on avait écrit *Cucheron, 06 62 31 50 35. 11 h 45.*

— Tiens donc ! L'autre graphologue ! Appelez-le. Vous le convoquez chez nous, à vingt heures.

Cucheron arriva le soir à la DPJ. C'était un homme de taille moyenne, trapu. Un roux à la peau très blanche, aux yeux bleus.

— Vous me faites venir à un drôle d'horaire, commissaire.

Viviane recula légèrement : ce type avait une haleine pestilentielle, la conversation serait pénible.

— Ah, des drôles d'horaires, vous en avez eu aussi aujourd'hui, dit Viviane en le faisant entrer dans son bureau. Asseyez-vous.

Jean-Paul Cucheron posa ses gants de pécari sur le bureau, sortit un peigne, se recoiffa en trois petits coups nerveux et poussa un soupir dévastateur. Viviane fit signe à Monot de s'asseoir près d'elle, hors de portée.

Cucheron les regarda, l'une, puis l'autre, avec un sourire inquiet.

— On se croirait à un interrogatoire.

— Disons qu'on a des interrogations. Vous avez vu votre collègue Élisabeth Blum aujourd'hui ?

— Oui, en fin de matinée. Je lui avais demandé un rendez-vous.

— À quel sujet ?

— Au sujet du sonnet, évidemment. J'ai retrouvé chez moi un livret datant des années 20, une monographie sur l'écriture de Baudelaire et son évolution au fil des années. Une petite étude réalisée par une graphologue inconnue, un nom russe impossible, genre Kisky-Trucskaïa, elle vous le montrera. Ce n'est même pas un livre, c'est un fascicule à la couverture lilas, édité directement chez l'imprimeur. À cette époque, ça se faisait beaucoup, aussi bien des mémoires de grand-mère que des souvenirs de guerre par de vieux colonels.

— Pourrions-nous revenir à nos moutons, s'il vous plaît ?

Elle avait du mal à cacher son agacement : pourquoi tous les littéraires ne pouvaient-ils pas répondre à une question sans en aborder une autre ?

— Mais *je suis* à vos moutons : je voulais lui prêter le livret, si ça pouvait l'aider. Pour être franc, je voulais aussi lui proposer ma coopération sur le dossier. J'étais prêt à travailler gratuitement, mais je voulais pouvoir être associé à l'expertise, ç'aurait été bon pour mon image. Je vous l'ai dit, je ne comprends pas qu'on ne me l'ait pas confiée.

— Et ensuite ?

Cucheron soupira, ennuyé. Et Viviane vacilla.

— Pour le sonnet, elle m'a dit qu'il était trop tard : elle avait quasiment terminé l'analyse, il ne lui restait plus qu'à reprendre ses notes et rédiger. Mais mon livret l'intéressait vivement, elle a souhaité le garder quelques jours. Puis nous avons discuté boulot : elle semblait avoir beaucoup de travail, beaucoup de clients, et moi je n'en ai pas assez. Je lui ai demandé s'il n'y avait pas moyen de trouver un accord d'association ou de collaboration, sous forme de commission d'apport, ou en sous-traitance, vous voyez le genre ?

— Vaguement. Vous savez, la sous-traitance ou les apports de clientèle, ça se pratique peu dans la police. Et qu'est-ce qui s'est passé ?

— Je l'ai invitée à déjeuner, pour qu'on en discute. Mais elle ne voulait pas sortir, elle avait peur, avec toutes ces histoires sur le sonnet. Pour la rassurer, je lui ai proposé la pizzeria, juste à côté du commissariat, sur le boulevard Garibaldi. Elle a fini par accepter et nous avons pris l'ascenseur. À l'instant où nous sortions de la cabine, elle a reçu un appel sur son portable. Elle n'a pas répondu, mais elle m'a dit qu'elle ne pouvait plus déjeuner et qu'elle me rappellerait. Elle est alors remontée.

— Par le même ascenseur ?

— Oui, bien sûr, je n'avais pas encore fermé la porte.

— Quelle heure était-il ?

— Midi quelque chose. Vous pouvez vérifier auprès de la concierge, elle rentrait de l'école avec son gamin. Quand elle est arrivée, elle nous a vus terminer la conversation. On s'est dit bonjour.

Viviane s'assombrit : le portable n'était pas chez Mme Blum, ni sur elle. Qu'était-il devenu ? Et ce livret lilas, Viviane ne l'avait pas vu non plus sur le bureau de la graphologue.

— Ensuite ?

— Je suis allé seul à la pizzeria. Là, j'ai appelé un collègue qui habite le quartier. Nous avons déjeuné ensemble. Je peux vous donner ses coordonnées. Mais pourquoi ces questions ? Si vous ne me croyez pas, demandez donc à Mme Blum, elle vous confirmera tout ça.

— Elle aura du mal, elle a un foulard autour du cou qui la serre trop fort pour parler. Le lieutenant Monot va prendre votre déposition.

Elle les planta là. En partant, elle entendit Monot qui rassurait le graphologue : c'était une simple formalité, il était bien sûr hors de cause. Viviane savait que son lieutenant avait malheureusement raison.

Elle laissa sa voiture au parking et partit à pied vers Montparnasse. Elle avait besoin de réfléchir, besoin de changer de décor pour penser autrement. Les passants étaient rares, les bistrots remplis. Elle erra comme une âme en souffrance, avec ce dossier, ses strophes et ses morts qui lui pesaient sur les épaules. Elle aurait aimé quelques mots d'encouragement, de sympathie, mais elle n'était que flic, elle ne savait à qui les demander. Alors, elle finit par échouer dans une crêperie et s'offrit un cruchon de cidre et deux galettes au sarrasin ; elle suivrait son régime un autre jour, quand ça irait mieux. Sur la nappe en papier, elle tenta de dresser un grand tableau où apparaissaient les personnes liées à cette affaire : Pascal Mesneux, Louis Saint-Croÿ, Astrid Carthago, Élisabeth Blum, Jean-Paul Cucheron. Au-dessous, leur entourage.

Habituellement, cela donnait de belles cases bien propres où l'on pouvait surligner certains noms, en relier d'autres par des flèches avec indication de mobile ; mais ce soir, ça ne donnait qu'un patchwork absurde, elle pouvait mettre n'importe qui n'importe où.

Et même ses hommes à la DPJ.

Qui parmi eux savait qu'Élisabeth Blum travaillait sur le sonnet ? Là, c'était plus grave que le vague canular de la médium, il y avait un décès à l'arrivée. Nouvelle imprudence ? Elle n'arrivait à suspecter aucun d'entre eux, elle les connaissait depuis des années. Sauf Monot, qu'elle avait pourtant l'impression de connaître mieux que personne.

Elle pensa aussi qu'elle n'avait jamais vraiment connu ses hommes, elle se contentait de poser, sur chacun d'eux, quelques idées-pancartes dont elle s'accommodait : les matches de boxe de Kossowski, les enfants de Juarez, les plats préférés et le quinté d'Escoubet. Que savait-elle de plus sur eux ? Avait-on pu corrompre un maillon faible pour obtenir une information ? Jusqu'à quel prix pouvait-on rester incorruptible et qui, parmi eux, avait besoin d'argent ? Gamoudi pour se payer une nouvelle voiture ? Pétrel, le triste Pétrel, pour tenter à l'étranger un traitement qui sauverait sa femme toujours malade ? De Bussche pour acheter un restaurant chinois à sa copine ? Tout était possible. Non, c'était impossible.

Il y avait trop d'affaires dans cette affaire, trop de monde dans les cases. Elle demanda une crêpe au chocolat et à la crème fraîche qu'elle attendit un quart d'heure et engouffra en une minute. Elle s'en fut en emportant la nappe en papier gribouillée. Elle se sentait très seule. Seule comme un flic perdu dans une enquête.

Mardi 5 février

Monot était entré dans le bureau de Viviane, tout en émoi.

— Il y avait un élément du dossier qui manquait, chez Mme Blum : le chat, où était le chat ?

Viviane contempla son lieutenant, attendrie : la leçon du pancake McDo avait porté ses fruits, Monot ne négligerait plus jamais un élément de dossier. Ce chat n'avait probablement aucune importance, mais elle devait jouer le jeu. Il fallait repartir rue Cépré.

Dans la Clio, Monot, mis en confiance, s'exaltait. Il débordait d'idées, c'était touchant. Il n'y avait pas que le chat qui l'intéressait, le livret lilas aussi.

— Cucheron nous a dit qu'Élisabeth Blum l'avait suivi pour prendre l'ascenseur, or le livret n'était plus là, donc il a été volé. Le voleur a pu entrer avec les clefs, après l'avoir tuée dans l'ascenseur ; ou il s'est fait ouvrir pour la tuer, puis l'a traînée dans l'ascenseur, mais dans tous les cas, il voulait à tout prix ce livret lilas. Et ce n'est pas Cucheron, puisqu'il l'avait apporté de lui-même.

— Vous avez vérifié sa version des faits ?

— Oui, c'est exactement comme il a dit : la concierge l'a vu quitter Miss Blum, et vers midi et quart, il était au restaurant. Son collègue l'y a rejoint à midi trente et ils sont sortis bien plus tard. Dommage, c'était un coupable idéal : à l'évidence, il détestait Blum.

Viviane l'écoutait, sceptique.

— Il a pu remonter aussitôt après le passage de la concierge.

— Non, commissaire, quand elle est arrivée, elle a nettoyé le hall jusqu'à midi et demi : il y avait des traces de pas, toutes boueuses. Elle a fait ça pendant que ses lasagnes cuisaient au four. On a dû tuer Miss Blum ensuite, quand la concierge est rentrée déjeuner.

Viviane grogna : Cucheron était vraiment innocent, c'en était désolant.

— Il y a plus important que le livret, Monot, c'est le coup de téléphone. Elle attendait sans doute un appel d'un type qui devait la rencontrer, c'est pour ça qu'elle est remontée. Il y a de fortes chances pour que ce soit lui l'assassin. À moins que Cucheron n'ait inventé ce coup de téléphone.

— Décidément, vous lui en voulez, commissaire, mais c'est non. À défaut du téléphone de Blum, nous avons retrouvé son opérateur, il y a bien eu un appel à midi douze, auquel elle n'a pas répondu. Il venait de la cabine téléphonique à l'angle du boulevard Garibaldi, à cent mètres. Quelqu'un qui devait surveiller les allées et venues dans l'immeuble.

La concierge leur ouvrit la porte de feu Élisabeth Blum. Tout était propre, bien rangé, exempt de poussière. Même le léger désordre sur le plan de travail semblait maîtrisé, symétrique. Ils révisèrent le grand séjour-bureau et la chambre : ni livret ni chat. Viviane passa à la salle de bains tandis que Monot parcourait la cuisine. Elle rejoignit son adjoint.

— Nous perdons notre temps, rentrons.

Elle parlait à une paire de fesses, et même une très jolie paire de fesses, c'était troublant : Monot, à quatre pattes, fouinait sous l'évier.

— Je l'ai, commissaire !

C'était un vieux chat gris, caché derrière la poubelle.

— Vous êtes content, Monot ? Là, l'enquête va faire un progrès décisif, hein ? Il suffira de mettre le chat en garde à vue pour qu'il dénonce le coupable.

— Je vais quand même le prendre, on ne peut pas le laisser mourir de faim. Je le confierai à ma mère.

Le lieutenant Monot avait une mère ! Viviane n'y avait jamais pensé, et elle se sentit confusément jalouse. C'était absurde, elle ne pouvait être toutes les femmes pour lui, elle avait suffisamment de mal à être son chef.

Durant le retour, le chat vomit dans la Clio. Monot lui promit de nettoyer ça à l'heure du déjeuner, de désodoriser les lieux du crime.

Elle passa vérifier en début d'après-midi, c'était une horreur : il avait utilisé un produit au jasmin, l'odeur dans la voiture était encore pire. Et cela suffit à la mettre de mauvaise humeur pour le reste de la journée.

— Ouvrez votre fenêtre, ça puera moins, lui demanda-t-elle, le soir, tandis qu'ils partaient au point presse.

Viviane garda la sienne fermée, car il faisait vraiment froid. Trois minutes plus tard, Monot éternua abondamment, et sortit un mouchoir de la poche de son blouson, en s'excusant. Un papier vert y était collé. Monot poussa un petit cri joyeux et le brandit.

— Vous devinez ce que c'est, hein, commissaire ?

Évidemment qu'elle devinait : c'était un post-it vert, comme ceux qu'elle avait sur son bureau, vert comme celui qu'elle avait passé à Monot le soir où il avait noté l'adresse qui figurait au dos de l'enveloppe porteuse du sonnet.

— Et vous m'aviez dit que vous l'aviez cherché partout…

— Partout dans le bureau, mais maintenant je me souviens : ce blouson, c'est le plus chaud que j'aie. Je le portais le soir où je rentrais du McDo. Depuis, je ne l'avais plus remis.

Elle lut à haute voix l'adresse : *X. B., rue du Bois, Pantin*. Une adresse trop simple, c'était pour cela que personne n'avait pu s'en souvenir.

— Appelez le commissariat. Demandez-leur qu'ils nous fassent la liste de tous les individus dans la rue du Bois qui ont pour initiales X. B. Je veux ça dès la sortie de notre réunion mondaine.

Au point presse, la foule des journalistes était encore plus nombreuse que la semaine précédente : qu'est-ce qui pouvait intéresser tant de lecteurs dans cette affaire ? La commissaire n'avait pas eu le temps de lire les journaux, mais elle savait ce qu'ils avaient écrit sur la mort d'Élisabeth Blum : des balivernes, des calembredaines. En vrai français, des conneries. Viviane, elle, aurait été bien en peine d'écrire quoi que ce soit : elle ne savait pas conjuguer ses phrases au conditionnel d'insinuation, ou les précéder de « Selon certaines sources ». Elle détestait les médias. Monot pouvait dire ce qu'il voulait, tout policier avait le droit de les détester.

Priscilla Smet accueillit le lieutenant d'un grand sourire de garce et ignora Viviane, comme si elle avait deviné que la commissaire s'apprêtait à lui infliger le même traitement. La dircom prit le micro pour annoncer :

— Je vous rappelle que ce point presse concernera exclusivement l'affaire du sonnet. Il ne sera pas question de l'arrestation de José Tolosa qui fait actuellement l'objet d'une enquête distincte.

Viviane tenta un sourire engageant, elle ne savait par où commencer. Mais peu importait, n'importe quoi ferait l'affaire. Les apprentis cryptographes avaient abreuvé le tout-internet de leurs élucubrations, et les journalistes se les appropriaient allègrement : « Pouvez-vous nous confirmer que la police étudie l'hypothèse d'une prophétie secrète ? » « De toutes les techniques cryptogrammiques, quelle est celle qui vous paraît offrir le meilleur potentiel ? » « Quelle suite pensez-vous donner à cette première visite chez la médium ? »

Elle démentit, elle confirma, elle s'embrouilla ; ce fut Monot qui la sauva.

— Mesdames, messieurs, je comprends et je respecte le souci d'information qui vous guide, mais je vous demande d'accepter l'idée que la divulgation de certaines données peut mettre en péril des vies humaines. Ce que je peux vous dire, c'est que la police ne néglige aucune piste. Je dis bien *aucune*, si extravagante soit-elle.

La formule fit son effet. Après avoir évoqué la mort d'Élisabeth Blum, Monot rappela les faits antérieurs et indiqua que la paternité baudelairienne semblait plus que probable. Il expliqua que l'analyse graphologique serait poursuivie avec un autre expert : les conclusions seraient aussitôt livrées *in extenso* à la presse. L'*in extenso*, il l'avait dit avec une vibration oratoire de vieux politicien. Dans la foulée, il lâcha que la police commençait à se faire une idée plus précise du meurtrier et apporterait bientôt des révélations. Un petit barbu emmitouflé dans un vieux duffle-coat se leva.

— Vous avez évoqué la tentative d'assassinat sur Saint-Croÿ. Avez-vous envisagé qu'elle ait en fait visé la domestique qui était à son côté ?

Viviane tressaillit : non, on n'avait pas envisagé ça. Monot assura que cette piste avait, *bien entendu*, été étudiée, il était parfait, le lieutenant, tant qu'il n'adoptait pas de chat. Mais le barbu au duffle-coat n'en avait pas fini.

— Dans le sonnet, on parle d'une esclave noire et d'une vestale juive. Et aujourd'hui, on retrouve comme par hasard dans le collimateur une domestique africaine et une vieille demoiselle de confession israélite. Comment voyez-vous ce parallèle ?

On allait aux ennuis. C'était à Viviane de venir au secours de Monot.

— Je le vois comme très mal venu : les deux personnes dont vous parlez sont de mœurs honorables, et…

Elle ne put aller plus loin, la journaliste d'*Entre Elles* s'était dressée, toute frémissante d'indignation.

— Comment ! Voilà que le lesbianisme n'est pas honorable, maintenant ! C'est un scandale !

Le débat entre participants était lancé, on s'insultait, on se menaçait, plus personne n'écoutait la commissaire Viviane Lancier de la 3e DPJ et le lieutenant de police Augustin Monot, qui se retirèrent discrètement. Les médias auraient de quoi alimenter leurs lecteurs, c'était un excellent point presse.

CHAPITRE 11

Avec l'humidité de la nuit, la voiture empestait encore plus le vomi au jasmin, c'était insupportable. Mais ce n'était pas ce qui irritait le plus Viviane, tandis qu'elle repartait à la DPJ avec Monot.

— À quoi pensiez-vous, lieutenant, quand vous avez dit que la police commençait à se faire une idée plus précise de l'auteur des crimes ? C'est quoi, ces révélations ?

— Oh, c'est un truc d'Hercule Poirot, dans Agatha Christie : il lance ça pour paniquer l'assassin, pour le pousser à l'erreur. Et ne dites rien, commissaire, je devine ce que vous pensez.

La commissaire allait quand même déverser le fond de sa pensée sur Hercule Poirot, la littérature policière et ses lecteurs, quand le téléphone de Monot sonna. Celui-ci écouta avec un large sourire et raccrocha.

— C'était le lieutenant Juarez, au sujet de X. B. Le prénom X, rue du Bois, c'est Xavier.

— Xavier qui ? Xavier comment ? gronda Viviane.

— Vous allez rire : Baudelaire, Xavier Baudelaire.

Elle rit, et de bon cœur. Elle riait en baissant la vitre, et riait encore en plaquant son gyrophare sur le toit, en déclenchant la sirène.

Dès leur retour au commissariat, Monot et Viviane se ruèrent sur le PC de Juarez. La page jaune annonçait : *Xavier Baudelaire, Blocs à lécher. Alimentation minérale des bovins.* Il y avait un lien sur lequel Monot cliqua et une page s'afficha avec un énorme titre : *Baudelaire, le bloc à lécher des bonnes laitières.* Il surmontait le délicat portrait d'une grosse vache normande à la Dubout, au pied d'un pommier, léchant avec volupté un bloc de matière grise. En bas, deux adresses : rue du Bois à Pantin, et une autre à Beuzeville, dans le Calvados.

— Vous leur avez téléphoné ? demanda Viviane à Juarez.

— J'ai appelé Pantin, je suis tombé sur un répondeur : ça ouvre demain à huit heures et demie. Et à Beuzeville, ça ne répondait pas. Vu l'heure, c'est normal.

En cliquant, on faisait apparaître une page présentant la gamme des blocs à lécher Baudelaire, et notamment le fameux Kill Mouch' : « Léché par vos vaches, ce bloc aux algues est magique, il confère à leur sueur une odeur répulsive pour les mouches et tiques. »

— Ça n'a aucun rapport avec le sonnet, ces trucs, soupira Viviane.

— Le léchage, suggéra Monot, vous vous souvenez, *sous sa bouche corail*… il y a peut-être un rapport.

Était-il en train de se moquer d'elle ? Avec lui, Viviane ne savait jamais.

— On se retrouve demain rue du Bois à huit heures vingt-cinq. Pas un mot à qui que ce soit. Vous la voyez toujours, votre amie de *20 minutes* ?

— Oui, commissaire. Mais on se parle d'autre chose.

Elle s'en fut, renfrognée. De quelle autre chose pouvait-il lui parler ?

Mercredi 6 février

Il faisait froid à Pantin, ce matin-là. Monot l'attendait, imperturbable, sous la bise, au pied d'un modeste immeuble grisâtre.

— Le bureau est au second, et c'est encore éteint.

Dans le hall, le tableau de l'interphone annonçait « Baudelaire, alimentation minérale ». Viviane appuya sur la sonnette. Les policiers patientèrent et finirent par entendre un *Qui c'est ?* acariâtre.

— Monsieur Xavier Baudelaire ? Police, c'est urgent.

Une minute plus tard, Baudelaire leur ouvrit sa porte. Il n'avait rien d'un poète : c'était un gros homme rougeaud d'une quarantaine d'années, aux cheveux rares, gris et gras, aux traits empâtés. Il était vêtu d'une courte robe de chambre rose-orange, qui dévoilait coquinement ses mollets nus.

— Ah, je vous reconnais, vous êtes la commissaire de l'affaire du poème, je vous ai vue dans le journal. Excusez ma tenue, mais ce bureau, c'est aussi mon studio. Je me suis couché tard cette nuit, et je n'avais pas prévu de rendez-vous avant dix heures. C'est pour quoi ?

— C'est pour entrer, c'est pour causer, répondit Viviane.

Baudelaire semblait méfiant. Il se gratta dans l'échancrure de sa robe de chambre, alluma une cigarette et les conduisit dans un petit bureau aux murs jaunâtres. La pièce empestait le tabac. Elle était décorée de photos de vaches, et de grands tableaux présentant les innombrables maux qui menaçaient les pauvres bovins, ainsi que les remèdes que leur apportaient les bons blocs à lécher Baudelaire.

— Alors, comme ça, on envoie du courrier, monsieur Baudelaire ?

Le gros type hocha la tête et grimaça.

— Bon, je ne vais pas finasser, oui, c'est moi qui l'ai envoyé, mais je l'ai fait pour aider. Il ne fallait pas venir pour ça, il suffisait de me téléphoner. Ce que je ne comprends pas, c'est comment vous m'avez trouvé. En tout cas, je veux rester en dehors de toute cette affaire. Elle ne me concerne pas.

Quelque chose n'allait pas. La commissaire, perturbée, fixait le suspect au sourire innocent. Et commença alors l'interrogatoire le plus étonnant qu'elle ait jamais mené. Le type lui répondait chaque fois avec une désarmante sincérité.

Louis Saint-Croÿ ? Oui, évidemment qu'il le connaissait, et même de longue date ! Oui, bien sûr, il connaissait Astrid Carthago. Pascal Mesneux, celui-là, il ne le connaissait que par les journaux. Ah, non, il ne connaissait pas la graphologue Élisabeth Blum, mais il en connaissait un autre, excellent : Jean-Paul Cucheron. Il connaissait presque tous les acteurs du dossier. Les *protagonistes*, aurait dit Durisly.

— Et le poète Baudelaire, vous êtes de sa famille ?

— Il n'a pas eu d'enfants. Mais je descends d'un de ses cousins. Ce n'est pas un crime, que je sache ? Alors, quoi d'autre ?

Monot s'énerva et haussa le ton comme s'il allait le frapper :

— Vous envoyez un courrier qui cause la mort de deux personnes, et qui a failli en tuer deux autres, et vous nous demandez *quoi d'autre* ?

Baudelaire les regarda, interloqué, puis se gratta plus vigoureusement l'aisselle.

— C'est quoi, ce courrier dont vous parlez ? Moi, ce que je vous ai déposé, c'est une lettre anonyme, avec la carte d'Astrid Carthago.

Viviane et Monot restèrent pantois. Xavier Baudelaire semblait aussi troublé qu'eux ; il proposa de tout leur raconter, pour éclaircir la situation. Mais, prévint-il, c'était de l'histoire ancienne.

— Il y a quelques années, vous savez ce que j'ai trouvé, dans une valise de vieilleries, au moment où je vidais notre maison de famille ?

— Le sonnet ! répondirent Viviane et Monot avec un bel ensemble.

— Non, pas du tout. Un brouillon de lettre du poète Baudelaire à son ami Théodore de Banville : il y exprime son enthousiasme pour un auteur américain inconnu qu'il vient de découvrir, un nommé Edgar Poe dont il vient de lire un conte, *The Murders in the Rue Morgue*, dans les *Prose Romances*.

Baudelaire annonce à Banville qu'il veut traduire toutes les œuvres de l'Américain pour le faire connaître en France. Moi, tout ça, je n'y connaissais rien, alors je suis allé voir la faculté des lettres de Caen : un professeur m'a dit que ça avait de la valeur, et m'a conseillé d'en parler au collectionneur spécialiste de Baudelaire, un certain Louis Saint-Croÿ.

— Nous y voilà ! l'encouragea Monot avec un sourire d'accoucheur.

— Saint-Croÿ l'a examiné et s'est montré peu emballé : ce brouillon, s'il était authentique, ce qui ne lui paraissait pas sûr, était d'un intérêt mineur, puisqu'il avait ensuite donné lieu à une lettre définitive, bien plus intéressante. Il m'en a proposé un prix très bas. Je ne savais trop quoi faire. Et c'est alors que j'ai trouvé, dans *Pariscope*, un pavé sur Astrid Carthago. Je suis allé la consulter, je lui ai demandé de parler de cette histoire avec Baudelaire, le poète.

Il racontait ça très naturellement, sans même le petit sourire sceptique qui s'imposait quand on évoque ces choses. Et il continua, serein :

— Elle a eu la communication avec Baudelaire : le poète croyait se souvenir de cette lettre, mais n'en était pas sûr. Il m'a conseillé de la faire analyser par un graphologue, et d'être prudent avant de la vendre.

Viviane sourit. Les mêmes conseils donnés par le premier venu auraient semblé banals. Mais, venant de l'éther, ah, c'était plus sérieux !

— Alors, poursuivit Xavier Baudelaire, j'ai fait expertiser la lettre par Cucheron qui a garanti son authenticité. Et je suis allé demander conseil à la Sorbonne, où on m'a mis en contact avec l'*Edgar*

Allan Poe Museum, de Richmond, qui m'a acheté le document assez cher : ça m'a payé ce petit bureau-studio où nous sommes. Depuis, je suis resté très bon client de la médium. Ma clientèle, c'est les éleveurs : avant chaque grande décision, je passe par Astrid Carthago pour demander conseil à des gros fermiers de ma famille, maintenant disparus. Et mes affaires s'en portent bien.

Baudelaire expliquait ça d'un petit ton dévot, et Viviane se retint de rire.

— Mais pourquoi nous avoir envoyé cette lettre ?

— Quand j'ai vu votre histoire dans le journal, j'ai pensé qu'Astrid pourrait vous être utile pour communiquer avec Charles Baudelaire, puisqu'elle avait déjà si bien réussi. Je l'ai envoyée anonymement pour rester en dehors de tout ça : mettez-vous à ma place, tous les gens que vous allez interroger à propos de cette histoire se font assassiner. Rien que de vous voir débarquer, j'ai l'impression que le corbillard arrive déjà dans la rue.

Viviane ignora sa remarque.

— Et vous êtes resté fâchés tous les deux, Saint-Croÿ et vous ?

— Lui, je n'en sais rien. Mais moi, évidemment, je n'ai pas apprécié qu'il ait essayé de me rouler. Parce que, je l'ai appris ensuite, la fameuse lettre « plus intéressante » n'existait pas. S'il n'y avait pas eu Astrid Carthago, je me serais fait plumer.

— À propos de Mme Carthago, c'est vous qui avez prévenu *Le Journal du Dimanche* de ma visite chez elle ?

— Non, à quoi ça m'aurait servi ? Et comment je pouvais deviner que vous alliez venir ?

Viviane hocha une triste tête. Si ce n'était pas lui, c'était donc un de ses hommes, un de ceux de l'open space. Elle aurait préféré que ce fût Xavier Baudelaire.

— Le sonnet, vous l'avez trouvé dans une autre valise aux merveilles ? Vous l'avez vendu à quelqu'un ? Vous l'avez fait porter à l'Académie ?

— Rien de tout ça. Je ne l'ai jamais eu entre les mains. Et vous me voyez écrire à l'Académie française ? Même en SMS, je fais des fautes d'orthographe.

— Vous connaissez des gens qui pourraient vous en vouloir ? En mettant votre nom sur l'enveloppe d'expédition du sonnet, par exemple ?

— Mon nom sur l'enveloppe ? Mais qui a pu me faire ça, commissaire ?

— Saint-Croÿ ?

— Non, c'est à moi de lui en vouloir, mais c'est une affaire enterrée. On vous a lancée sur une fausse piste. C'est vraiment mon nom ?

Viviane mentionna les initiales, Baudelaire fit « Ah ! » et croisa les bras.

— C'est idiot : avec les initiales, et l'adresse, on me retrouve forcément. Quel est l'intérêt ?

Viviane soupira : ce type avait raison, quel était l'intérêt de ces initiales ? Décaler la révélation, pour lui donner plus d'impact ? À quoi bon ? Elle lui demanda pourquoi il avait ouvert ce bureau, alors qu'il pouvait recevoir ses clients à Beuzeville.

— Beuzeville, c'est bien pour la Normandie.

Mais les éleveurs du reste de la France préfèrent venir à Paris. Pour eux, c'est plus près, et ça me permet de les emmener faire la fête.

— Vous en recevez beaucoup ?

— De quoi passer ici un jour ou deux par semaine.

— Et par exemple, le vendredi 18 janvier, le dimanche 27 janvier après-midi et le lundi 4 février, vous étiez à Paris, ou à Beuzeville ?

— Les lundis, je suis toujours à Beuzeville : ma matinée est consacrée au comptable. Les dimanches aussi, je suis à Beuzeville, c'est le jour où je fais du vélo. Le vendredi 18 janvier, je ne sais pas, ça remonte à loin.

Il prit le grand agenda qui traînait sur le bureau, l'ouvrit au 18 janvier, et lui montra une succession de rendez-vous.

— Le matin, j'ai eu trois rendez-vous ici, avec des éleveurs du Poitou et des Alpes, ça a duré jusqu'à midi. Vous pouvez vérifier, il y a les noms. Vous avez d'autres questions ? Mes clients vont arriver.

Avec un bref « Vous permettez », Viviane lui prit l'agenda et le feuilleta. Elle s'arrêta, sévère.

— Mais ce lundi-ci, vous n'étiez pas à Beuzeville. Je vois un rendez-vous à Pantin, en début de matinée.

Baudelaire se frappa le front de la main : il surjouait, et Viviane qui n'allait jamais au théâtre se dit qu'il n'y avait plus qu'au théâtre qu'on voyait des gestes comme ça.

— Ah, bien sûr ! J'oubliais ! J'avais le président d'une coopérative lorraine, il ne pouvait venir que le lundi matin. Du coup, pour une fois, j'ai vu le comptable le lundi soir. Sinon, c'est toujours le matin.

— Et ça se passe comment, quand vous faites du vélo ?

— Le dimanche, je pars l'après-midi en voiture, pour m'éloigner un peu : sinon, ce seraient toujours les mêmes parcours. Je roule à vélo environ deux heures, parfois plus. En rentrant, je passe au bureau de Beuzeville, c'est le seul moment calme pour boucler mes dossiers de la semaine et lire mes mails en grignotant un sandwich, puis je reviens chez moi vers les vingt-deux heures, en général.

Chacune de ses phrases exhalait l'innocence, mais Viviane n'y croyait pas.

— Vos clients, où les emmenez-vous faire la fête ?

— Des petites boîtes de strip-tease, des cabarets à grand spectacle, ça dépend de leur potentiel. Ça plaît toujours, ce genre de sorties.

Monot, guilleret, sortit de sa poche la photo de Joa nue.

— À propos, celle-ci, vous la connaissez ?

Xavier Baudelaire regarda le portrait d'un œil concupiscent.

— Sacré morceau, cette fille. Oui, elle me rappelle quelque chose, mais je ne sais plus dans quelle boîte je l'ai vue.

Et soudain la pupille se dilata, luxurieuse.

— Ah, ça y est ! C'était dans un cabaret exotique, un peu spécial, limite porno. Je ne connais pas le nom, c'était un taxi qui l'avait conseillé et nous avait conduits, au bout d'une petite rue sombre, à la Goutte d'Or. Un cabaret spécialisé dans les spectacles de lesbiennes, mon client avait des goûts particuliers. La fille avait un numéro en fin de spectacle.

Il la regarda encore, béat, comme si la photo s'était animée pour lui seul puis rendit la photo, avec un long soupir d'amant éconduit.

— Ce cabaret, demanda Monot, il sentait la vinasse ?

Baudelaire esquissa une moue prudente, comme pour ne pas contrarier le lieutenant.

— C'est possible, je dirais des odeurs des îles.

— Et la vanille ? relança Monot.

La moue se fit plus conciliante.

— C'est bien possible. Des odeurs des îles, la cannelle, la muscade… Vous savez, on ne venait pas pour une recette.

Viviane n'écoutait plus que distraitement. Elle se demandait si on lui déballait une existence de petit patron, comme il devait y en avoir des centaines, partagées entre deux illusions de vie, ou s'il ne s'agissait que d'un décor, un papier peint soigneusement posé pour couvrir des zones d'ombres et de salissures.

Monot lui lança un regard entendu : ils n'avaient plus de questions à poser. Ils allaient se retirer quand Baudelaire les rappela :

— Vous qui êtes habituée à jouer avec les médias, vous pouvez citer mon nom, mon entreprise tant que vous voulez, ça me fera de la pub. Mais je veux voir l'article avant qu'il sorte : je ne veux pas qu'on dise n'importe quoi sur mon Kill Mouch'.

Viviane préféra le laisser sur ses illusions, et s'enfuit lâchement. En sortant, Monot l'invita à prendre un café dans le premier boui-boui venu. À peine assis, il s'emballa d'un air inspiré :

— Vous vous rappelez la question du petit barbu en duffle-coat, au point presse, à propos de la vestale juive et de l'esclave noire ? Elle est de moins en moins idiote. Cette fois-ci, c'est le début de notre sonnet ; il est exactement ce qu'a raconté Xavier Baudelaire : *Ma gourme la conduit par une sente obscure, Vers la case aux relents de vanille et de vin*... Puis début du spectacle avec la *fille au corps noir et puissant.*

Viviane sirota son café pour rester calme. Et même gentille, ce qui lui était plus difficile.

— Mais concrètement, Monot, quel rapport avec l'enquête ?

— Nous avons affaire à un illuminé qui veut mettre en scène le poème. Joa est peut-être vraiment en danger, il faudrait la prévenir.

Le café était trop amer, le propos trop stupide. Viviane demanda un verre d'eau, l'avala, respira un bon coup.

— Ne tombez pas dans la littérature de bas étage, Monot. L'illuminé qui cherche des rapprochements avec le poème, je le connais : c'est vous. Arrêtez de vous inventer des suspects imaginaires quand nous avons des coupables idéals sous les yeux. Ce Baudelaire, par exemple, il ne lui manque que les mobiles, mais on va les trouver.

Coupables idéals ? Idéaux ? Elle ne savait plus ; avec Monot, il fallait faire attention. Mais il n'avait pas relevé.

— Vous n'allez pas changer de coupable idéal

tous les jours : hier, Cucheron, aujourd'hui Baudelaire. Lui aussi, il a des alibis.

Viviane lui sourit. Pour la première fois, Monot lui avait parlé d'égal à égal. Ce n'était pas désagréable. Mais elle n'allait pas le laisser faire.

— Pour l'expédition du sonnet, il nie, Monot, mais rien ne l'innocente. Pour l'assassinat de Mesneux, oui, il a un solide alibi. Mais le dimanche 27, son histoire de vélo, ce n'est pas du béton. Et pour le lundi 4, il a essayé de m'embobiner : après le rendez-vous, il avait le temps de tuer Miss Blum.

— Au fait, pourquoi vous ne lui avez pas demandé, pour le 23 janvier, le jour où on vous a empoisonnée ?

Monot écarquilla un œil mutin et Viviane ne sut que répondre. Elle finissait par se demander si elle n'avait pas été vraiment victime de cette tentative d'empoisonnement à la ricine : elle n'était pas impossible, cette histoire. Si ça continuait, elle allait y croire.

Rentrée au bureau, elle demanda à Kossowski de chercher le fameux cabaret, de faire la tournée des spectacles du même genre avec la photo de Joa, pour voir si on y connaissait cette fille. Kossowski accepta avec enthousiasme. Elle demanda aussi une enquête à Beuzeville, à tout hasard.

Elle faisait ça pour la forme, sans y croire. Elle ne croyait à rien dans cette enquête, même pas à sa capacité à la résoudre. Elle ne savait même plus où orienter les recherches.

Jeudi 7 février

Viviane mâchonnait comme un vieux chewing-gum le conseil de Durisly : « N'essaie pas de trouver des suspects, revois tes protagonistes. » Tôt le matin, elle demanda à Louis Saint-Croÿ qu'il vienne discuter. Il refusa, il avait trop peur de sortir, il acceptait de la recevoir à Versailles. Elle insista. Il lui proposa finalement de venir rue Robert-Estienne. De guerre lasse, elle accepta : rendez-vous fut pris à onze heures.

À l'heure convenue, elle sonna chez lui. Ce ne fut pas Joa qui ouvrit, mais une jeune personne au corps de femme des champs, vêtue d'un jogging informe. Elle avait le sourire de son père, en moins souriant.

— Vous êtes Laurette ? Je suis la commissaire Lancier. J'ai rendez-vous avec votre père.

— Alors, il ne va pas tarder. Je vous installe dans son bureau.

Tandis que la commissaire suivait Laurette dans le couloir, elle observait sa silhouette : dans ce jogging trop grand, elle avait une lourde démarche de dur de banlieue. C'était une idée à garder en tête : vu de dos, n'importe qui, fagoté comme ça, pouvait ressembler au voyou du Pont-Neuf. Un produit autobronzant, une perruque noire frisée, des lunettes de soleil, une capuche et le tour était joué. Viviane tenta d'imaginer dans cette tenue les différents protagonistes de l'affaire. Toutes les silhouettes paraissaient possibles, à part Louis Saint-Croÿ et Patricia Mesneux.

Dans le bureau, le volet était clos.

— Par sécurité, il reste désormais fermé. C'est papa qui veut ça.

Viviane hocha la tête et contempla la bibliothèque en palissandre. La vitre avait été changée, mais il restait un espace vide, celui du livre dans lequel était venue s'incruster la balle. Selon le labo, c'était une balle de 22 long rifle, tirée par un pistolet Manurhin PP Sport.

Cette grande fille pataude mettait Viviane mal à l'aise. Elle ne savait de quoi lui parler.

— Vous n'êtes pas en cours, aujourd'hui ?

— Non, jamais les jeudis matin.

— Et les vendredis ? Et les lundis ?

— Les vendredis, ça dépend des semaines. Et les lundis, on a conférence non-stop de dix à treize heures, mais pas l'après-midi. Pourquoi vous me demandez tout ça ?

— Par curiosité. Ça vous arrive de sécher ?

— Non, on est en école privée, pas en fac : il y a pointage à tous les cours, avec rapport mensuel aux parents. Comme père, papa est un peu bizarre, mais comme contrôleur, il est très strict.

La petite Laurette hésitait. Viviane sentait qu'elle voulait lâcher un aveu difficile. Cette fille n'avait pas de mère, il fallait l'aider façon psy. Viviane la regarda avec une douce compréhension maternelle.

— Un peu bizarre ? Vous pouvez m'en parler, entre femmes.

— Bah, il est obsédé par ma ligne, il me rabâche que pour mon métier ce sera important. Le matin, au petit déjeuner, il me prépare ma pomme, mon yaourt, mes deux biscottes, mon thé vert, et il reste planté en face de moi pour être sûr que je ne me goinfre pas d'un bol de céréales en plus. C'est idiot : une fois sortie, je reprends un vrai petit déjeuner. Vous, c'est un truc que vous pouvez comprendre : on peut être un peu ronde et bien dans sa peau, hein !

C'était donc ça, pauvre gourde ! La commissaire se sentit bouillir : non, toutes les rondes n'étaient pas bien dans leur peau. C'étaient les maigres qui avaient inventé ça, et il fallait que les grosses fassent semblant d'y croire.

— Vous avez de bonnes relations avec Joa ?

Laurette rétorqua qu'elle n'avait pas à avoir de relations bonnes ou mauvaises avec les domestiques. Elle avait dit ça sans intonation. Elle mentait bien, la petite.

— Et votre frère, je peux lui parler ?

— Pierre-Paul ? Il est en stage à Brest depuis le début du mois. Il y sera jusque fin mars. On ne le voit plus, il a une copine là-bas. Il travaille avec elle au *Télégramme de Brest*.

Un long silence vint plomber la discussion. Laurette ne semblait pas vouloir laisser la commissaire seule dans le bureau, comme si elle craignait un vol de livre rare. Elle regardait fréquemment sa montre. Viviane aussi. Ça faisait une demi-heure qu'elle poireautait. Elle appela Saint-Croÿ, mais tomba sur sa messagerie. Elle s'en alla, sous le regard narquois de la petite. Sur le palier, le portable sonna, c'était Monot.

— Commissaire, je viens de recevoir un appel de Cucheron, le graphologue : il a lu dans la presse qu'un nouvel expert allait être nommé. Il s'étonne que vous ne l'ayez pas encore appelé.

— C'est votre idée, je vous laisse gérer ça. Vous voyez ce que ça coûte, de se lâcher au point presse ? Les médias, moins on leur parle…

— Commissaire, rappelez-vous, vous ne devriez pas !

Il avait raison, ce Jésus, elle ne devait pas.

Une fois revenue au bureau, Viviane passa devant le bac où traînait la presse du jour ; elle l'emporta pour l'avaler pendant le déjeuner.

Et bizarrement, ça passa de travers.

CHAPITRE 12

Le point presse avait fait des vagues : pour les médias, c'était simple, il y avait le gentil et la méchante. On ne disait que du bien du jeune Monot, de sa tolérance, de son souci de coopération, de son ouverture d'esprit face aux énigmes posées par l'affaire du sonnet. Quelques chroniqueuses évoquaient même, sans pudeur, ses yeux verts et sa belle allure.

La commissaire Viviane Lancier, elle, était la bornée, la hargneuse. Les plus compatissants expliquaient son attitude par ses échecs cuisants rencontrés dans cette affaire. Les plus acides affirmaient qu'elle se rattrapait comme elle pouvait, après avoir arraché un bandit d'honneur aux bras de sa mère mourante. Pourquoi d'honneur ? Viviane se le demandait. Et elle, ne pouvait-elle pas être un flic d'honneur ? Non, elle était l'affreux visage de la police. Il allait falloir qu'elle s'habitue.

Pour se défouler, elle appela Saint-Croÿ et le traita de tous les noms : ce lapin qu'il lui avait posé n'était pas digéré. Il présenta ses excuses, tout emberlificoté : il avait eu un malaise au moment de partir, et avait dû rester couché. Pourquoi n'avait-il pas prévenu ? Mais parce qu'il avait eu un malaise, enfin ! L'étonnement de la commissaire semblait l'étonner. Elle lui fixa un nouveau rendez-vous, à la DPJ. Avant de raccrocher, elle ajouta, très vite :

— Ah, pendant que j'y pense, dites à Joa d'être prudente. Il ne faut pas qu'elle sorte, on ne sait jamais.

Pourquoi avait-elle dit ça ? Pour se donner bonne conscience. Une sorte d'hommage à la littérature de bas étage. Oui, on ne savait jamais.

L'après-midi, le cher Cucheron se présenta et Viviane passa le saluer, alors qu'il était assis dans l'open space, son petit chapeau et ses gants de pécari à la main, sa loupe dans l'autre. Monot, qui lui avait tendu les photocopies qu'il fallait comparer, se tenait un mètre derrière son bureau, et recula encore quand Cucheron se pencha pour débiter son petit couplet. L'haleine du graphologue n'était qu'une lourde pestilence de moisi et de gencives pourries. Plus un peu d'ail pour masquer le tout.

— C'est embarrassant, commissaire, de prendre la relève d'une consœur en ces circonstances, mais j'ai pensé qu'il y allait de l'honneur de notre corporation. Il *fallait* que l'un de nous reprenne le flambeau.

— Je ne vois pas très bien à quoi il va servir, votre flambeau : selon la lettre évoquée par M. Saint-Croÿ, le sonnet serait bien de Baudelaire, écrit en 1842 ou peu avant.

— Ah, permettez, commissaire, les deux ne sont pas forcément liés. Il a pu y avoir *à cette époque* un sonnet de Baudelaire évoquant des temples entr'ouverts, mais rien ne dit que c'était bien celui-là : le vôtre est peut-être une autre version, écrite après 1842. Ou simplement un faux, ou un pastiche du premier, de n'importe quelle époque. L'expertise est capitale, non seulement pour authentifier le sonnet, mais, s'il est authentique, pour le dater : Baudelaire l'a-t-il écrit à vingt ans, ou à trente-cinq ? C'est ce qui explique tout l'intérêt d'Élisabeth Blum pour ce livret lilas de la Russkaïa, malheureusement volatilisé.

Ces remarques troublèrent Viviane. Encore une chose à laquelle elle n'avait pas pensé : et s'il y avait deux sonnets ? Cette affaire était décidément trop intelligente pour elle. Cucheron la rassura avec un bon sourire de héros.

— Faites-moi confiance, commissaire, cette étude sera menée à bien, quels que soient les risques encourus.

— Eh bien, encourez, encourez. Mais je veux les résultats pour mercredi.

Viviane regagna son bureau, et alla droit à la fenêtre : de l'air, vite ! L'oxygène pollué de l'avenue du Maine lui parut délicieusement rafraîchissant. Elle fut presque heureuse de trouver un message inquiétant sur son répondeur : le directeur de la PJ demandait à la voir.

Elle arriva au Quai des Orfèvres, bilieuse. Le Tout-Puissant convoquait rarement ses subalternes des DPJ : il était d'un contact aisé, mais seulement au téléphone. On la fit entrer dans un bureau, trop grand, trop vide. Il n'y avait que trois dossiers sur sa table, c'était un symbole du pouvoir. Et encore : tous les commissaires de la PJ prétendaient qu'il s'agissait de dossiers factices.

Il sourit, plein de compassion, et prit une voix toute douce, comme s'il allait lui annoncer un taux de cholestérol trop élevé :

— J'ai une nouvelle qui ne vous fera pas plaisir, ma petite Viviane.

Elle se mit en garde, prête à absorber le coup.

— On a dû relâcher José Tolosa. Il y avait une erreur de procédure. C'est très embêtant.

— Une erreur de procédure ? Chez nous ?

— Pas chez vous, Viviane, mais du côté de la justice : le juge d'instruction a dépassé le délai de vingt heures entre la mise en examen et la présentation du suspect au juge des libertés. C'est la loi...

Elle avait du mal à reprendre son souffle, il y avait une barre, là, dans toute la poitrine.

— Oui, je connais ça, monsieur le directeur. Loi Perben deux, article 803-3 du Code de procédure pénale. Je voudrais savoir quel est l'enfoiré de juge d'instruction qui ne la connaît pas.

Le Tout-Puissant bafouilla, il semblait terriblement gêné :

— Je sais que je vais vous faire mal, Viviane. C'est le juge Ludovic Bartan. Je voudrais vous dire...

Et il ne sut quoi dire à une femme qui allait pleurer. Il savait bien ce que Ludovic était — ou avait été — pour Viviane. Elle avait éclaté en sanglots. Ce connard de Ludovic ne se contentait pas d'avoir bousillé sa vie sentimentale, il fallait maintenant qu'il plombe sa vie professionnelle.

— Je comprends votre désarroi, mais, en un sens, c'est peut-être un mal pour un bien. Cette affaire partait de travers, les médias n'avaient pas du tout apprécié, vous vous trouviez en première ligne. Vous comprenez ?

— Il faut en plus que je comprenne ?

Le Tout-Puissant secoua la tête comme pour en faire tomber quelques pellicules. Il avait encore un coup de couteau à lui porter.

— Et je dois vous annoncer que le parquet a nommé le juge d'instruction sur l'affaire du sonnet : ce sera…

Il soupira, embarrassé.

— Ce sera également le juge Ludovic Bartan. Il ne l'a pas demandé, mais c'est le tableau de roulement qui veut ça.

Tout en lui tendant un sachet de mouchoirs en papier parfumés au freesia — où les achetait-il ? — le Tout-Puissant rassura Viviane : le juge Bartan serait très peu interventionniste sur ce dossier. Lui aussi aurait préféré ne pas le prendre. Il avait demandé à en être dessaisi, mais le président du TGI avait refusé, considérant qu'il n'y avait ni *cause de suspicion légitime*, ni *intérêt d'une bonne administration de la justice*.

— C'est drôle, hein, ma petite Viviane. Cette affaire passionne le public et les médias, mais personne n'en veut. Bon, je vais vous laisser rentrer. Pour l'histoire de Tolosa, je vous laisse annoncer la chose à vos hommes, vous trouverez les mots qu'il faut.

Les mots qu'il fallait… sur le chemin du retour, Viviane en prépara la liste : ils n'étaient pas dans le dictionnaire.

Vendredi 8 février

Plus de régime, elle avait repris un kilo deux cents, le poids d'un rôti pour six, songea-t-elle tristement sur sa balance.

Elle reçut un appel de Jean-Paul Cucheron : il venait de trouver une enveloppe non timbrée dans sa boîte aux lettres. À l'intérieur, un message très court : « Renoncez immédiatement à votre étude sur le sonnet. C'est votre vie qui est en jeu. » La menace ressemblait à une blague, elle avait une emphase puérile qui fit sourire Viviane.

Cucheron demanda alors comment « on » avait su qu'il travaillait sur le sonnet. Et la commissaire cessa de sourire : seuls les hommes de l'open space étaient au courant. Il y avait bel et bien un bavard, peut-être pire, et c'était forcément l'un d'eux.

Cucheron réclama la mise sous protection de son domicile. Mais maintenant, qui lui envoyer ? Il n'y avait plus personne en qui elle avait suffisamment confiance : deux GPX du bureau voisin feraient l'affaire. Des gars bien, mais dont elle se sentait moins proche. Elle avait la vague impression de trahir son petit groupe de l'open space.

Dans les journaux, on commentait avec componction la remise en liberté de José Tolosa. Les moins cruels s'étonnaient, mais ils reconnaissaient que les conditions de son arrestation « prêtaient à polémique ». Viviane se sentit bouillir : quelle polémique ? Il n'y avait eu que les médias pour la lancer. Les plus perfides affirmaient qu'il s'agissait d'une *fausse fausse* manœuvre, le juge avait agi sur ordre, le ministère cherchait une sortie honorable. La sortie honorable, c'était celle de Tolosa ? Elle les haïssait.

Enfin, les résultats de l'enquête sur Xavier Baudelaire arrivèrent : il jouissait d'une excellente réputation. Bon époux, bon père, bon patron. Ses blocs à lécher étaient utilisés par tous les grands élevages de Normandie. On savait qu'il voulait développer son affaire dans le reste de la France, on était convaincu qu'il y parviendrait.

Kossowski avait retrouvé le cabaret des îles. Il y flottait un parfum d'épices et de rhum, mais Joa y était inconnue. L'artiste vedette lui ressemblait, sans plus. Il avait présenté la photo dans tous les night-clubs, sans succès. Mais plusieurs tenanciers s'étaient montrés intéressés et se déclaraient prêts à lui signer un contrat.

Cucheron rappela en début de soirée : il n'était pas sorti de l'immeuble, il était juste descendu demander à la concierge de n'accepter aucun colis pour lui. En passant devant sa boîte, il avait trouvé une nouvelle enveloppe, semblable à la première. Le contenu était un peu différent : « Laissez tomber, dernier avertissement. » Il prévint la commissaire qu'il allait dénoncer aux médias l'incurie de la police.

Viviane ne sut que répondre : elle avait tout simplement oublié d'organiser cette protection. C'était un acte manqué, elle en était certaine. Puisque ce type ne pouvait être coupable, elle voulait qu'il soit victime. Elle lui annonça un léger contretemps et le rassura : c'était promis, dès le lendemain, deux policiers seraient en faction devant chez lui. Mais elle se garda bien de lui dire à quelle heure.

Samedi 9 février

Sur la balance du matin, elle avait encore pris trois cents grammes. Si au moins ç'avait été en dînant avec des copains, en se resservant de fondant au chocolat et en buvant trop de champagne. Mais non, c'était toute seule, devant la télé, en se goinfrant de tout ce qui lui tombait sous la main. Elle avait fini avec des petits pois et de l'emmental. Heureusement, ce soir, il y avait Fabien.

En attendant, il y avait la presse du samedi.

Jean-Paul Cucheron n'avait pas lancé son avertissement en l'air : les quotidiens faisaient état de « la situation intenable » dans laquelle l'intrépide graphologue était placé, de l'abandon dans lequel le laissait la police. La commissaire appela le futur martyr pour s'assurer que l'affaire était réglée. Elle fut mal accueillie.

— Je vous signale que vos deux hommes ne sont arrivés que vers midi, sans même s'excuser. Ça ne vous gêne pas ?

— Pas vraiment : puisque vous êtes toujours vivant, ça n'aurait servi à rien qu'ils viennent plus tôt.

— Ah, il faut être mort pour avoir droit à la

protection de la police ? Si j'en parlais aux médias, je suis sûr que ça les intéresserait.

Le ton était si désagréable que la commissaire crut bon de lui rappeler qu'elle était commissaire :

— Puisque vous êtes si aimable, dites-moi ce que vous faisiez le vendredi 18 janvier en fin de matinée, et le soir du dimanche 27.

— Le vendredi 18, je ne sais plus ! Quand on a du travail, c'est facile de vérifier son agenda. Moi, je n'en ai pas ; quand je ne fais rien, je devrais écrire « rien » ? Pour le 27, en revanche, je me baladais sur internet, comme tous les dimanches, c'est vérifiable sur mon historique d'Explorer.

Ces alibis n'étaient pas brillants. Pas meilleurs que ceux de Baudelaire. Mais pourquoi Viviane s'acharnait-elle sur ces deux hommes ? Parce que chacun avait une tête de coupable idéal ? Les autres protagonistes aussi méritaient d'être interrogés. Elle confia le travail à Monot qui accepta avec empressement.

Ils se retrouvèrent deux heures plus tard, autour d'un café.

— Le résultat est décevant, commissaire, mais il y a une surprise.

— Allez-y, Monot, surprenez-moi.

— J'ai commencé par Christophe Le Marrec et Astrid Carthago. Ils n'ont assassiné ni Pascal Mesneux ni Élisabeth Blum : le vendredi 18 janvier et le lundi 4 février, ils ont eu des rendez-vous toute la matinée. La concierge peut en témoigner. Et même leurs clients : Astrid donnera leurs noms, mais seulement si le juge le demande. Quant à la tentative de meurtre sur Saint-Croÿ, ils ne sont pas concernés : ils ont passé ensemble l'après-midi du dimanche 27.

— Ah, ils travaillent parfois le dimanche ?

— Non, mais il vit chez elle. Et même *avec* elle, puisque vous allez me poser la question. C'est la surprise.

Ce n'était pas venu à l'idée de Viviane. Décidément, elle ne voyait rien dans cette enquête.

— Et qu'est-ce qu'ils faisaient, ces deux tourtereaux ?

— Ce qu'ils font tous les dimanches : ils jouaient aux cartes. La concierge a confirmé qu'elle ne les a pas vus sortir, ni rentrer.

Viviane imagina les désopilants dimanches du couple en se demandant si les siens étaient plus enviables. Et Monot, lui, que faisait-il de son temps libre ? Elle aurait aimé mieux connaître la vie de son petit lieutenant qui, tout fier, passait à la fiche suivante :

— Dans le cas de Louis Saint-Croÿ, c'est plus simple : le lundi 4 février, il était seul, avec Joa, chez ses cousins à Versailles. Elle lui a servi un jus de goyave. J'ai parlé à Joa qui a confirmé. Donc deux suspects de moins dans la liste.

— Remettez-les dans la liste, Monot. Ces deux témoignages ne tiennent que l'un par l'autre.

Monot hocha la tête et changea de fiche.

— Patricia Mesneux, c'est sans appel : « Vu ses responsabilités à la mairie, pas question de quitter son bureau, ni le vendredi, ni le lundi. » Reste le dimanche 27 janvier : elle est allée au Salon des études supérieures, à la porte Champerret. C'était pour son petit Gary, mais sans lui, car ça ne l'intéresse pas trop, ces histoires. De toute façon, il n'y a rien qui l'intéresse, paraît-il. Elle prédit que, s'il continue, il finira dans la police, sympa, n'est-ce pas ? Quant au petit Gary, le lundi matin, il n'a pas de cours mais un devoir sur table. Devoir noté, il ne peut pas le manquer.

— Et les enfants Saint-Croÿ ?

— Des alibis en béton, pour toutes les dates. Vous les voulez ?

Non, Viviane ne voulait pas. Tout le travail de Monot était inutile, elle en avait la certitude. Elle l'avait eue avant même de le lui confier. Mais le brave lieutenant semblait prêt à en redemander :

— C'est normal, commissaire, que vous ne m'ayez pas demandé de les interroger pour le 23 janvier, le jour de l'empoisonnement ?

Il la narguait, c'était évident.

— C'est une affaire personnelle, Monot. Je la traite personnellement. Je ne veux plus aucune question à ce sujet.

Il afficha une tête si peinée que Viviane eut des remords. Peut-être n'avait-il eu aucune mauvaise intention. Par gentillesse, elle lui demanda de préparer un tableau avec les alibis et les mobiles de chacun. Travail absurde, qui ne servirait qu'à motiver son lieutenant.

Elle rentra chez elle juste à temps pour décrocher le téléphone qui sonnait. Un autre meurtre ? Pire encore, c'était sa mère.

— Vivi ? J'ai vu le journal. Et les magazines au

kiosque. C'est une honte, ce qu'on raconte sur toi. Et tu laisses faire ?

Sa mère avait sur les rapports entre la police et la presse une vision assez proche de celle d'un premier consul.

— Je ne peux pas t'expliquer, Mom.

— Tu ne peux jamais. Qu'est-ce que tu penserais d'un petit dîner ce soir ? Viens me voir à Senlis, ça te changera les idées.

Le projet terrifia Viviane. Quand sa mère voulait lui changer les idées, c'était pour lui refiler les siennes. Sans compter son idée fixe dont, curieusement, elle n'avait pas encore parlé.

— Ah non, Mom ! Ce soir je ne peux pas, j'ai un dîner.

— Avec un petit fiancé, Vivi ?

Voilà ! Elle en avait parlé ! Avec le rire benêt de circonstance.

— J'ai un dîner, maman, c'est tout.

— Avec Ludovic ? Tu t'es rabibochée avec lui ?

Sa mère ne comprenait rien, elle croyait que ces histoires-là pouvaient se repriser. Déjà, elle repartait joyeusement à la charge :

— C'était un type bien, idéal pour toi. Je suis sûre que tu regrettes de l'avoir plaqué ; d'ailleurs, depuis, tu te laisses aller. Tu devrais faire le premier pas, penses-y. Bon, je vais te laisser.

La commissaire fila à la cuisine. Vite, une barre de Mars !

Le téléphone sonna à nouveau, c'était le flamboyant Gérald Tournu :

— Commissaire, ça m'est revenu en voyant un

car de supporters de l'OM qui débarquait pour le match de ce soir : le jeune du Pont-Neuf, il avait un badge de l'OM sur sa veste de jogging.

— C'est bien, mais vous ne m'aidez pas beaucoup : il doit y en avoir quelques dizaines de milliers.

— Attention, celui du Pont-Neuf, il y avait quelque chose qui n'allait pas sur ce badge. Je ne sais plus quoi, mais ça va me revenir.

Elle remercia. C'était toujours comme ça, avec cette affaire. Dès qu'une piste s'ouvrait, c'était pour mener vers des horizons encore plus fumeux. Il lui fallait une autre barre de Mars. Et Fabien.

Il était toujours aussi laid, mais Viviane le vit arriver comme le messie. Son frigo était vide, elle était allée faire un saut chez Picard : les recettes surgelées, c'étaient les seules qu'elle ne ratait jamais.

En vrai copain, il trouva bien tout ce que Viviane avait préparé. Il s'extasia sur son tartare de Saint-Jacques, puis sur son tajine de thon aux légumes. Il comprenait qu'elle avait besoin de ça. De sancerre aussi, pas trop. Il ne fit même pas de remarques sur le sempiternel régime. Ni sur l'enquête, qu'il devinait encalminée.

Viviane l'entraîna vers sa chambre. Cette fois-ci, elle n'essaya même pas de s'imaginer dans les bras de Ludovic. Elle passa directement dans ceux du petit Monot, mais elle coinça. Alors elle s'imagina dans les bras de Fabien, et se laissa emporter.

CHAPITRE 13

Dimanche 10 février

C'était un beau dimanche. Il avait neigé pendant la nuit, et le soleil se montra généreux dès son lever. À dix heures, la neige avait fondu, laissant les rues de Paris étrangement rajeunies. Viviane se sentit comme elles quand elle sortit de sa douche. Même la balance était sympa, elle était repartie vers la gauche. Peu après, Fabien la quitta, aussi léger et doux qu'un permissionnaire.

Au kiosque, lorsque la commissaire descendit acheter *Le Journal du Dimanche*, on le lui tendit avec une mine réprobatrice. C'était mauvais signe, on devait parler d'elle. Page 5, elle trouva la tête angoissée de Cucheron. Il racontait comment « on » l'avait traité quand, menacé de mort, il avait demandé la protection de la police : « Tant que vous êtes vivant, ça ne servirait à rien qu'on vienne. » Mais, concluait-il, il avait su placer la police devant ses responsabilités et avait obtenu gain de cause. Il allait maintenant pouvoir apporter sa science et sa conscience à cette expertise si importante pour l'enquête.

Un peu plus tard, le Tout-Puissant appela, ce qu'il n'avait jamais fait un dimanche matin. Elle avait toujours cru qu'il le passait à la messe ou sous la couette.

— Ma petite Viviane, je vais vous gâcher votre dimanche. Nous avons eu par un indic des nouvelles désagréables : José Tolosa veut votre peau. Vous l'avez privé du dernier soupir de sa mère, il va vous le faire payer. Vous devrez être très prudente.

Viviane savait que de telles histoires arrivaient, même si on n'en parlait jamais. Trop gênant pour tout le monde. Elle frissonna, mais ce n'était pas pour elle.

— Et le lieutenant Monot ?

— Monot aussi. C'est gentil de penser à lui. Nous allons le prévenir.

Le Tout-Puissant voulait banaliser cette affaire, mais elle ne s'y prêtait pas. Alors, il la noya dans une autre. Celle qui empoisonnait la DPJ depuis trois semaines.

— Et le sonnet, Viviane ? Comment voyez-vous les choses ?

Ne sachant quoi répondre, elle fut tout étonnée de s'entendre lâcher :

— Mal. Des suspects j'en ai, mais je ne crois pas que ce soient les bons. Le vrai assassin doit être un fou, un illuminé qui accorde à ces quelques vers une importance extravagante. Alors il tue tous ceux qui en approchent, pour qu'on prenne ses fantasmes au sérieux.

Il y eut un silence. Elle pouvait imaginer la mine interloquée du Tout-Puissant.

— Ah, je ne le voyais pas comme ça, mais ça se tient. Travaillez sur cette hypothèse, elle m'intéresse. Et prenez soin de vous.

Elle sentit monter en elle une sourde rancœur contre Monot : non seulement il se perdait en divagations, mais il y entraînait ses supérieurs. C'était quand même un beau dimanche. Elle prit un ananas pour le petit déjeuner, première étape du régime Mayo. On verrait ce que ça donnerait. Avant de partir courir, elle hésita à emporter son Sig Sauer, mais c'était une arme trop lourde. Elle se contenta du portable.

Son jogging n'eut aucune saveur. Elle était devenue une femme à abattre. Chaque promeneur qu'elle dépassait pouvait être le dernier : il accélérerait, viendrait à sa hauteur comme elle l'avait fait avec Tolosa, et porterait un pistolet à sa tempe. La différence, c'était qu'il tirerait. Bientôt, sans doute, elle n'y penserait plus. Mais le premier jour où l'on se découvre mortelle n'est pas comme les autres. Elle avait imaginé qu'on aspire alors plus goulûment la fraîcheur de l'air, qu'on s'extasie devant le plus petit crocus, le moindre chant d'oiseau. Mais non : on est simplement pressé d'en finir. Était-ce parce qu'il n'y avait rien dans sa vie qu'elle pût regretter ? Oui, c'était cela qui la chagrinait. Elle se résolut à ouvrir son téléphone : peut-être y trouverait-elle un message, celui d'un ami qui la rassurerait.

Elle en trouva huit, venant de tous ceux qu'elle

avait rencontrés dans cette enquête. Mais c'étaient eux qui appelaient au secours. Ils avaient lu l'interview de Cucheron dans *Le Journal du Dimanche*. Alors, demandaient-ils, pourquoi pas moi ?

Louis Saint-Croÿ, trois appels, voulait pouvoir rentrer chez lui, à Paris : il avait déjà fait l'objet d'une tentative d'assassinat, il était prioritaire, la protection lui était due. Christophe Le Marrec, deux appels, le demandait plus gentiment ; ce n'était pas pour lui, mais pour Astrid. Patricia Mesneux s'interrogeait : une vie à Asnières avait-elle moins de valeur qu'à Paris ? Xavier Baudelaire voulait savoir ce que la commissaire prévoyait, à Pantin comme à Beuzeville. Enfin le Tout-Puissant désirait entendre à nouveau Viviane : déjà, sur leurs sites internet, les médias se demandaient pourquoi les témoins étaient abandonnés aux tueurs.

La commissaire rentra chez elle. Le téléphone avait gagné : ce dimanche serait le sien. Elle appela, elle rassura, elle négocia avec la Sécurité publique, elle implora, elle exigea. Quatre heures plus tard, c'était réglé : dès le soir, les immeubles de tous les protagonistes bénéficieraient d'une surveillance, assurée par des gardiens de la paix. La France respirait. La commissaire aurait aimé en faire autant.

Lundi 11 février

Louis Saint-Croÿ entra dans le bureau de Viviane, embarrassé, en renouvelant ses excuses pour le rendez-vous manqué. Elle le coupa :

— Qu'est-ce que vous pourriez me dire sur Xavier Baudelaire ?

Il sembla surpris, frotta ses petites mains manucurées, les regarda comme s'il allait y trouver la réponse.

— Oh, commissaire, c'est une vieille histoire, dans laquelle je n'ai pas eu le beau rôle.

Sa version des aventures de la lettre sur Edgar Poe concordait, seule la conclusion différait.

— Ce type est convaincu que j'ai voulu l'escroquer. En fait, j'ai tout simplement commis une grosse erreur de jugement. La prétendue graphie de Baudelaire me paraissait suspecte ; expertise faite, il était bien l'auteur de ce courrier, mais il l'avait écrit dans un état d'ébriété avancé, ce qui expliquait la main flottante. Et, contrairement à ce que je croyais, il n'y a jamais eu de lettre définitive à Théodore de Banville. Bref, une double erreur de ma part, et je m'en mords encore les doigts. Si j'avais été mieux inspiré, j'aurais fait une offre bien supérieure à celle du musée de Richmond.

— Du coup, vous en voulez à Xavier Baudelaire ?

— Mais non, pourquoi ? Il a très bien fait. Au contraire, c'est lui qui garde une dent contre moi. J'ai essayé de le raisonner, mais il n'a pas voulu m'écouter. En un sens, ça m'arrange : dans mon métier, mieux vaut passer pour un filou que pour un abruti.

— Et Jean-Paul Cucheron, vous êtes fâché avec lui ?

— Cucheron ? Excellent graphologue ! Il a fait son boulot.

— Vous connaissez Astrid Carthago ?

— Non, même si on en a parlé dans les journaux. Pourquoi ? Vous croyez qu'elle joue un rôle important dans cette affaire ?

Il avait dit ça avec un petit air curieux, presque fouinard. Viviane ne répondait jamais à ce genre de questions : l'enquêteur, c'était elle.

— Si je vous disais que votre employée Joa mène une double vie, qu'est-ce que vous me répondriez ?

— Joa ? Elle ne sort jamais le soir. C'est impossible, commissaire. Absolument exclu.

— Vous savez, il y a tant de choses impossibles dans ce dossier.

Elle le raccompagna, sombre : ce type était tout sauf un illuminé.

Mardi 12 février

Monot avait préparé une petite revue de presse qu'il apporta en riant. Les témoins étaient interviewés à longueur de colonnes : « Les reclus de l'affaire Baudelaire », titrait l'un. « Ils vivent dans la terreur », affichait l'autre. Saint-Croÿ racontait qu'il avait été « enfin autorisé à rentrer à Paris, sous bonne garde », Cucheron promettait de finir son expertise, « la peur au ventre » et Viviane se demanda si ça n'aurait pas d'influence sur son haleine. Christophe Le Marrec assurait qu'Astrid Carthago maintiendrait tous ses rendez-vous entre les défunts et les vivants, c'était une question d'éthique professionnelle. Patricia Mesneux affirmait qu'elle avait déjà reçu plusieurs propositions de grands éditeurs qui croyaient pouvoir profiter de sa fragilité pour lui faire des offres ridicules : même si sa vie était en jeu, elle ne braderait pas l'héritage sacré de son mari, cet admirable poète. Elle tenait à la disposition de chaque média, pour un prix très raisonnable, quelques rondeaux, stances et élégies.

Et chacun en profitait pour dire tout le bien qu'il pensait de lui-même, de sa collection, de ses expertises, de ses contacts avec l'au-delà. Gary expliquait combien cet épouvantable climat le gênait pour la préparation de son bac : il avait raison, le gamin, avec ça, il serait repêché à l'oral. La jeune Laurette Saint-Croÿ avait donné quelques interviews, elle commençait à se faire des relations, sa carrière était lancée.

Accablée, Viviane rendit le dossier à Monot. Elle avait cru que les médias s'intéressaient aux individus intéressants. Elle avait mal compris : c'étaient les individus qui se trouvaient intéressants dès qu'ils étaient dans les médias. Le pire, c'était qu'ils le devenaient.

— Vous avez noté, Monot, il n'y a que Xavier Baudelaire qui ne soit pas de la fête. Son nom n'a pas été jeté aux fauves, il a de la chance.

Mercredi 13 février

Cucheron vint leur apporter le résultat de son expertise, tout penaud.

— Je suis désolé pour l'article de l'autre jour, commissaire, mes propos ont été déformés, c'est un malentendu.

Un malentendu ! Viviane exécrait ce mot, et l'avait toujours considéré comme l'excuse des lâches. Elle se fit glaciale :

— Montrez-nous plutôt les résultats de votre expertise, vous serez plus crédible.

Les conclusions étaient claires : les deux textes étaient écrits de la même main, à la même époque. Il y avait cependant une bizarrerie.

— Une bizarrerie peut-être normale, précisa Cucheron. Apparemment, les deux textes semblent écrits au fil de la plume, avec d'ailleurs une belle régularité. On voit qu'à l'époque Baudelaire n'était pas trop démoli par l'alcool. Les lignes sont assez droites, les caractères sont constants, avec peu de variantes. Mais cette écriture semble refléter une extrême tension.

— Vous diriez une peur, une crainte ?

— Oui, peut-être ; disons que Baudelaire a écrit ce texte en lui donnant une gravité inhabituelle. Idéalement, il me faudrait les originaux pour que je puisse mieux étudier la pression exercée sur la plume. Cela dit, même sur les photocopies, c'est perceptible.

Il déposa son gros rapport sur le bureau : ah, les médias voulaient de l'*in extenso*, ils seraient servis ! Cucheron s'en fut en laissant dans son sillage un affreux remugle, et sa facture qu'il remit à Viviane. Elle y joignit un post-it demandant au trésorier-payeur de faire traîner, on allait dire que c'était un malentendu.

C'était l'heure du point presse, et Viviane s'y rendit plus détendue qu'à l'habitude : aujourd'hui, elle resterait muette, elle écouterait le lieutenant faire son numéro.

— Alors, lui dit-elle dans la Clio, le sonnet de Baudelaire est bien de Baudelaire, vous êtes content ?

— Oui. Un sonnet comme celui-là avait sa place dans son œuvre.

— Non, Monot, je demandais si vous êtes content pour l'enquête.

— Je ne sais pas : c'est bien la seule énigme que nous ayons résolue dans l'affaire, mais ça ne la rend pas plus simple.

— Ça vous permettra au moins d'avoir de quoi parler pendant le point presse. Dites-leur que, pour le reste, l'enquête est au point mort. Ce n'est jamais que la vérité.

Tout se passa comme prévu. L'authentification du sonnet fut accueillie dans l'indifférence : il y avait longtemps que les médias l'avaient érigée en certitude. Monot se lança alors dans un prodigieux monologue sur l'ordonnance générale de la page manuscrite. Tout y passa, la forme de base du rond de la lettre *g*, significative du potentiel affectif, et son jambage non terminé, indiquant une exploitation maladroite de ce potentiel, l'élancement de la lettre *l* et les dispositions intellectuelles dont il témoignait — dans l'assistance, on regardait sa montre, on reculait discrètement vers les rangs du fond. Quand Monot aborda la lettre *r* et son allure ourlée, ciselée, comme créée sous le burin d'un orfèvre, ce fut devant une salle aux trois quarts vide.

En conclusion, Monot déclara qu'il était allé un peu vite, mais qu'il pouvait donner plus de détails si, dans la salle, on avait des questions. Viviane eut envie de l'embrasser, ce fut la fin du point presse.

Jeudi 14 février

On ne dit jamais assez de mal de la Saint-Valentin. Viviane s'était levée de mauvaise humeur, elle exécrait cette exaltation collective de sentiments intimes. En la voyant arriver renfrognée, son adjoint ne tenta pas de l'amadouer. Il lui tendit *20 minutes*.

— Le responsable, c'est moi, je suis désolé.

En première page, on annonçait « Le témoin caché de l'affaire du sonnet ». Et un sous-titre : « Pourquoi Xavier Baudelaire a peur ». L'article ne faisait que commenter l'existence de ce témoin qu'on dissimulait. Pas d'adresse ni de photos, pas même celle de Kill Mouch', mais des soupçons sur le rôle de Baudelaire dans l'envoi de l'enveloppe fatale. Et des commentaires sur le double jeu de la commissaire Lancier qui s'obstinait à traiter les médias en ennemis.

— Le responsable, c'est vous, Monot, ou votre petite amie ?

— C'est pareil, commissaire. Je lui en avais parlé, elle m'avait promis de garder ça pour elle.

— Il va falloir choisir, Monot. On a tous le droit d'avoir son jardin secret, mais on n'y élève pas de chèvres si on y plante des choux.

Elle sentait que l'image était foireuse, surtout quand on passait après Charles Baudelaire, mais Monot comprit. Il sortit en hochant la tête.

La journée de la commissaire fut lamentable : ses hommes la fuyaient tant elle se montrait pénible, chacun essayait de se trouver un boulot sur le terrain. Elle se sentait si seule qu'elle appela Fabien en fin d'après-midi, mais il la rembarra gentiment :

— Non, en semaine, c'est compliqué. Et puis ce soir, ce serait bizarre, tu comprends ?

Oui, bien sûr, c'était la Saint-Valentin ; on ne pouvait pas faire semblant. Elle rentra seule et s'apprêta à une folle soirée : ce serait régime Montignac et télé. Grande soirée sur TF1, « Les 100 plus belles histoires d'amour ». Il lui parut normal de regarder ; avec le régime Montignac, on est un peu affaibli.

Vers vingt et une heures trente, elle en était à la 43ᵉ, l'histoire d'amour entre un président et une actrice et chanteuse — c'était aux USA que ça se passait —, quand le téléphone sonna. La voix qu'elle entendit n'était plus que détresse. C'était celle de Christophe Le Marrec :

— Venez vite, commissaire, on a assassiné Astrid.

Viviane ne connaîtrait jamais l'épilogue de l'histoire d'amour du président. Elle fila. Elle entrait dans l'avenue de La Motte-Picquet quand elle aperçut le camion des pompiers à l'arrêt, le gyrophare allumé. En se garant, elle les vit charger une civière et filer sous son nez.

Elle trouva Christophe effondré dans l'entrée de l'appartement dont toutes les portes et fenêtres étaient ouvertes. Mais il y régnait encore une forte odeur de mort, ou presque : une odeur de gaz. Christophe semblait soulagé de la trouver, comme s'il lui fallait quelqu'un pour entendre son histoire :

— Quand je suis rentré, l'appartement puait le gaz. Elle était couchée sur le lit, toute pliée sur le côté, avec le radiateur mobile au butane ouvert à fond, mais pas allumé. J'ai aéré en grand et j'ai appelé les pompiers, puis vous, et je lui ai fait du bouche-à-bouche, mais ça n'a servi à rien, elle ne respirait déjà plus.

Il aurait fallu quelques mots de bonne âme, de compassion, mais ça ne venait pas. Tant pis, Viviane se rabattit sur des mots d'enquêteur :

— D'où veniez-vous ?

— J'avais quitté Astrid un peu avant sept heures pour aller prendre un pot avec un copain, puis je suis parti en métro chez mon père, à Clichy. En arrivant chez lui, je me suis rendu compte que j'avais oublié mon portable à la maison et je suis reparti le chercher car j'attendais un appel important. J'ai trouvé Astrid en arrivant.

— Pourquoi m'avez-vous parlé d'assassinat ? Vous voyez bien que c'est un suicide.

— C'est ce que j'ai cru à première vue ; mais il s'agit d'une mauvaise mise en scène. D'abord, la porte d'entrée était simplement claquée, pas fermée à clef. Or Astrid s'enferme toujours, surtout maintenant, avec les menaces par téléphone. Elle sentait le gin, et il y en avait une bouteille entamée à la cuisine. C'est absurde : le gin, c'est le mien, elle a toujours détesté l'alcool. Elle ne se serait jamais soûlée avant de se donner la mort. Et ses lunettes étaient restées dans le bureau : comment aurait-elle fait pour se servir du gin ou pour allumer le radiateur ? Elle est complètement bigleuse.

Viviane n'était pas habituée à des témoins aussi observateurs ; il lui semblait discuter avec un stagiaire. Elle se laissa prendre au jeu.

— Elle serait morte si vite ?

— L'assassin l'aura forcée à respirer le gaz sur l'embout de la bonbonne de Butagaz. Elle avait les lèvres un peu tuméfiées, vous pourrez vérifier.

— Mais qui a pu entrer ? L'immeuble est gardé.

Viviane se pencha par la fenêtre : de l'autre côté de l'avenue, un policier montait la garde, planté à côté d'un restaurant grec. Christophe précisa :

— Votre policier ne contrôle pas ceux qui ont la clef. Et chez nous, il y a un trousseau qui a disparu depuis une quinzaine de jours : celui qui est normalement sur mon bureau. L'assassin, c'est sûrement un client qui l'a emporté, mais lequel ? Ces deux dernières semaines, on a dû en recevoir deux cents.

La commissaire resta campée devant la fenêtre ouverte tant l'odeur de gaz était violente. Oui, l'histoire paraissait simple : l'assassin était entré après le départ de Christophe, avec ses clefs. Dans un souci de mise en scène, il avait forcé Astrid à boire de l'alcool pour mieux faire croire à un suicide, puis lui avait plaqué la bouche à la sortie du détendeur de la bonbonne. On ne le retrouverait pas : si c'était un client, il avait pu donner une fausse identité, et payer en liquide.

— Pourquoi êtes-vous allé chez votre père ? Un 14 février, vous aviez mieux à faire avec Astrid.

— Il a soixante-quinze ans ; le décès de ma mère

est tout récent et il le vit mal. Je craignais qu'un soir de Saint-Valentin, il se sente un peu seul. Astrid insistait pour que j'aille le voir : je serais rentré plus tard faire une partie de cartes avec elle.

Le regard de Viviane devait être un peu trop soupçonneux, car il prit les devants pour préciser :

— Je vous donnerai le téléphone de mon père, vous pourrez vérifier. Si vous me suspectez, vous devez savoir que je n'avais aucun intérêt à ce qu'Astrid meure. Elle allait souscrire un gros contrat d'assurance-vie en ma faveur : presque tous ses capitaux auraient été pour moi après sa mort. Vous pouvez vérifier ça auprès de sa banque, ils lui avaient préparé le document, il ne lui restait plus qu'à le signer.

Après quelques paroles de réconfort, Viviane sortit. Elle alla voir l'agent de garde sur le trottoir d'en face, à côté du restaurant. C'était un jeunot, sexy, au crâne rasé. Elle se présenta et le regarda bien dans les yeux.

— Alors, rien de spécial ?

— La voiture des pompiers, tout à l'heure, bien sûr.

Elle s'approcha de sa bouche, très près. Il recula comme si Viviane allait l'embrasser ; elle n'aurait pas dit non, mais elle voulait surtout sentir son haleine. Elle fleurait le vin et le chocolat.

— Il était bon, ce restaurant ? Moi, dans la cuisine grecque, ce que je préfère, c'est la moussaka. Le retziné, j'aime moins. Et vous ?

Il avait compris qu'elle avait compris, il bafouilla :

— Oui, j'y étais, mais pas longtemps, et j'ai continué à surveiller, commissaire. Nous avions demandé une place en terrasse devant la vitre, je voyais tout.

— Oui, bien sûr. Un dîner d'amoureux le soir de la Saint-Valentin, la main dans la main, les yeux dans les yeux, et vous vouliez tout voir ? C'est quand vous avez entendu arriver le camion de pompiers que vous avez ouvert les yeux et que vous avez repris la faction, c'est ça ?

— Juste une heure, un petit dîner, avec ma femme, je ne pouvais pas lui dire non, un soir comme celui-là. Soyez chic, commissaire.

Viviane répondit qu'elle ne promettait rien et s'en fut. Elle détestait tous les gens pleins d'amour le soir de la Saint-Valentin.

CHAPITRE 14

Vendredi 15 février

Il fallait reprendre le train-train et interroger chaque suspect — tous les protagonistes devenaient suspects à ses yeux — sur ce qu'il faisait le soir de la Saint-Valentin. Pourquoi prenaient-ils la peine de répondre à Viviane ? Par cruauté ?

Patricia Mesneux était sortie dîner avec un ami. Quel ami ? Elle dénonça un directeur littéraire, d'une voix très basse. « Et ensuite, après le dîner, ça vous intéresse aussi ? » Non, au-delà de vingt-deux heures, plus rien n'intéressait la commissaire.

Elle appela Gary sur son portable. Quand il décrocha, Viviane entendit en arrière-plan la voix enthousiaste d'une animatrice qui annonçait une vente-flash au rayon charcuterie : « J'étais au Quick, avec une fille, commissaire. Puis comme ma mère n'était pas là, je l'ai emmenée chez moi. »

Louis Saint-Croÿ lui réserva une surprise ; il avait dîné avec Joa : « N'y voyez pas de mal, elle semblait si mélancolique, je l'ai invitée dans un petit restaurant discret. » Il la relança d'un petit ton de Tout-Puissant : « Et votre enquête, elle avance ? Vous attendez qu'on soit tous morts pour la considérer comme bouclée ? »

Alors, pour sauver la face, la commissaire annonça que l'enquête était presque achevée, qu'elle croyait bien avoir identifié le coupable. Elle regretta aussitôt sa foucade : voilà qu'elle faisait du Monot !

Viviane appela ensuite Laurette. Celle-ci confessa, d'une voix qui se fêlait, qu'elle avait dîné seule à la maison : elle avait vu sortir, puis rentrer, son père et Joa. Viviane se sentit saisie de compassion. Elle imaginait la petite, voyant partir sa Joa un soir de Saint-Valentin, au bras de son père, c'était un comble. La commissaire tenta délicatement de la consoler en suggérant que Joa n'avait peut-être pas le choix. La jeune Saint-Croÿ éclata en sanglots.

Jean-Paul Cucheron se montra moins émotif : « J'ai traîné en voiture sur le boulevard Bessières et j'ai embarqué une pute. Une Black du Cameroun. Je n'ai pas son nom, mais je peux la retrouver. Ou vous indiquer ses spécialités, ça vous intéresse ? » Excellent alibi, elle le félicita.

Il lui restait Xavier Baudelaire.

— J'imagine que vous avez fêté la Saint-Valentin avec madame ?

— Non, j'étais à Paris, avec une journaliste d'*Aujourd'hui*.

Il avait dit ça négligemment, mais Viviane n'était pas dupe : il jubilait ! Une journaliste l'avait déniché, il serait dans le journal. *Le Parisien* et *Aujourd'hui*, toutes éditions, France entière ! Il était trop content pour s'en cacher :

— De toute façon, vous ne gardez pas votre langue. Alors, je ne vais pas garder la mienne. La différence, c'est qu'on écrira ce qui m'intéresse. Je lui ai parlé de mes blocs à lécher, elle m'a trouvé passionnant. Vous lirez demain : je suis sur une demi-page, sans compter la photo où je pose avec mon bloc Kill Mouch'. Vous imaginez ce que ça m'aurait coûté si j'avais dû payer ça en publicité ?

Elle raccrocha, soucieuse. Il lui semblait passer tout près de la vérité, sans la voir. Quelle vérité ? Elle avait fait le tour des coucheries de la Saint-Valentin.

L'exquis Monot arriva alors, hagard.

— Désolé, commissaire, panne d'oreiller ! J'avais pris un somnifère.

— Oui, bien sûr : vous avez dîné puis vous avez pris une pilule somnifère, qui fait son effet en… *20 minutes*. Brune ou blonde, la pilule ?

Il parut un peu plus accablé.

— Non, nous avons dîné, et ça s'est arrêté là. Vous m'avez demandé de choisir entre la chèvre et le chou : c'est fait, nous avons rompu. De toute façon, je ne supportais plus sa façon de me tirer les vers du nez.

Elle se sentit soudain plus femme : il fallait le consoler, ce gamin.

— Reprenez-vous, Monot, je vous invite demain au restaurant. Ça nous permettra de faire le point, après ce premier mois à la DPJ.

Il hocha la tête avec de grands yeux de bambin qu'on emmène à la kermesse. Elle lui fit le bilan de la soirée de la veille, de ses appels, et lui demanda de lancer l'autopsie. Les yeux d'enfant se firent tragiques.

— Je ne comprends pas pourquoi on l'a tuée. Le sonnet, elle l'avait eu entre les mains ? L'autre jour, vous ne m'avez pas répondu.

Viviane lui raconta la séquence chez la médium : oui, Astrid avait vu le sonnet, l'avait *touché*. Elle se sentait brusquement prise en faute. Monot essaya de la disculper.

— Peut-être qu'elle communiquait vraiment avec les écrivains défunts. On aura voulu empêcher qu'ils lui disent quelque chose.

La commissaire n'avait jamais envisagé une hypothèse aussi saugrenue. Elle se demanda si le plus saugrenu, ce n'était pas d'éliminer trop vite ces hypothèses-là. Elle menait cette enquête comme une guêpe contre la vitre, elle s'énervait en ne voulant rien voir.

Samedi 16 février

Viviane appela la banque d'Astrid Carthago : on lui confirma les dires de Christophe, le gros contrat d'assurance-*vie* en sa faveur était prêt, Astrid devait le signer. Mais Christophe n'avait pas tout perdu. Il y avait aussi un contrat d'assurance-*décès* en sa faveur. Celui-là resterait valable.

La commissaire replongea dans ses notes, reprit les rapports de la brigade scientifique. Ils étaient tous aussi décourageants : sur le sonnet, les seules traces étaient celles laissées par les académiciens. Pas de traces lisibles sur le corps d'Élisabeth Blum. Les enveloppes reçues par Cucheron ne portaient aucune autre empreinte que les siennes. L'assassin était décidément d'une terrible discrétion.

Il fallait relancer l'enquête, mais sur quelle piste ? Viviane ne savait plus à quel saint se vouer. Il devait y avoir là-haut un saint spécial pour ces cas-là, un saint bizarre, un peu farceur, amateur d'humour noir : à onze heures du matin, Louis Saint-Croÿ appela, affolé :

— Commissaire, venez vite : on a tenté d'assassiner Joa ce matin. On l'a poussée sous le métro. Elle est vivante, mais mal en point. Je suis dans sa chambre, à la Pitié-Salpêtrière.

Viviane se rua vers sa Clio et donna rendez-vous à Monot à l'hôpital. Elle se trouvait pitoyable : son adjoint avait raison, Joa était en danger. Saint-Croÿ aussi avait raison. Tous les protagonistes allaient-ils mourir les uns après les autres en attendant qu'elle résolve cette affaire ? Qui serait le prochain ?

Monot l'attendait devant la porte de la chambre. Ils entrèrent, doucement. Joa était étendue sur le lit. Louis Saint-Croÿ lui tenait la main.

Et Joa expliqua d'une voix frêle ce qui était arrivé. Elle était allée tôt, en métro, à la chapelle de la Médaille miraculeuse, rue du Bac, où venaient prier beaucoup de gens de couleur. Elle avait une jolie façon de dire *de couleur* et Viviane remarqua que l'expression était en voie de disparition, remplacée par la prude *minorités visibles*. Joa raconta qu'elle avait besoin de prier parce qu'elle avait peur, avec toutes ces histoires. Au retour, peu après neuf heures, elle s'apprêtait à monter dans le wagon de tête, à la station Sèvres-Babylone, quand on l'avait poussée sous le métro qui arrivait. Elle avait eu de la chance, elle avait roulé du bon côté, vers l'avant, sans toucher le rail électrifié : c'était un miracle, le conducteur s'était arrêté à vingt centimètres. Elle s'en tirait avec une vilaine fracture de la malléole. Elle raconta ça en grimaçant de douleur, mais sans effet dramatique.

— Vous avez vu votre agresseur ?

— Non, il y avait du monde, à cette heure-là. Et puis, vous savez, quand on se fait pousser, c'est de dos.

Un infirmier vint la chercher sur un lit roulant : on allait lui faire de nouvelles radios. Louis Saint-Croÿ raccompagna la commissaire et son adjoint jusqu'à la porte, l'air hostile, comme pour bien montrer qu'il jugeait les flics responsables du drame.

Dans le couloir, Viviane se libéra :

— Ça aurait dû faire une morte de plus, ça nous fait un suspect de moins. Elle en aura pour plusieurs mois de rééducation, la pauvre. Mais si le tueur avait poussé une seconde plus tard, elle en aurait eu pour l'éternité. Vous savez ce qui en serait resté ? Vous avez déjà ramassé un corps passé sous le métro ?

Monot semblait ailleurs. D'une voix lointaine, il récita enfin :

— *Ô temples entr'ouverts, ô fervente géhenne*... elle sortait de la chapelle. Encore une coïncidence, non ?

Viviane ne sut quoi répondre. Elle était excédée par ces vers auxquels on pouvait faire dire n'importe quoi. Elle cherchait s'il y avait dans le poème un quatrain qui aurait pu la désigner à la vindicte du tueur. Il y avait bien *Quand mon âme vomit…* mais où étaient la beauté, le divin dans la paella ?

Ce soir, elle dînait avec son lieutenant. Elle en était émoustillée, presque trop : après tout, ce n'était qu'un entretien d'évaluation.

Elle avait demandé au capitaine De Bussche de leur conseiller un bon restaurant chinois. Il avait dit grand bien du Mondol Kiri, un restaurant cambodgien, en haut de l'avenue de Choisy, un peu avant la rue Simenon. La commissaire avait éclaté de rire : c'était à deux pas de son appartement, mais elle n'y avait jamais mis les pieds.

En sortant du commissariat, elle passa chez elle, le temps de se faire une ravageuse beauté, puis partit à pied retrouver Monot. C'était une douce soirée, presque printanière : pour fêter ça, elle avait opté pour une paire de talons aiguilles à haut risque et mis une gabardine blanche de bonne coupe qui l'amincissait. Elle arriva au restaurant en même temps que son sémillant lieutenant qui se donnait un air de banquier dans un grand manteau noir.

Le décor était moderne, sans bouddhas dorés, sans musique sucrée, la carte était riche en commentaires fleuris. Elle se sentait bien. Monot choisit une soupe de poulet au galanga et à la pulpe de coco parfumée. On précisait, avec des guillemets, que le galanga était très « énergétique » et le lieutenant assura qu'il voulait voir ça. Pour ne pas être en reste, elle jeta son dévolu sur la salade de fleur de bananier au poulet. Le commentaire précisait que la fleur de bananier jouait un rôle important lors de la cérémonie de mariage chez les Khmers : les jeunes mariés étaient supposés tremper quelques mèches de leurs cheveux dans l'eau parfumée, cela portait bonheur. Tout était charmant. Ils continuèrent à choisir leurs plats au hasard des légendes, elle opta pour un liseron d'eau thaï frais sauté en wok, et Monot pour un Sambo Kuoco au porc, lui aussi relevé au galanga. Ils pouffaient comme des étudiants. Viviane décompressait. Pourquoi la vie n'était-elle pas toujours comme ça ? Tout simplement parce qu'elle était son chef, ce qu'elle était en train d'oublier.

Elle voulut savoir pourquoi Monot avait choisi ce métier, et il décrivit avec exaltation son besoin d'action héroïque. Il était décidément gamin.

— Si j'étais contrôleur des impôts, je ne m'imagine pas raconter ma journée à ma femme. Tandis qu'un flic, c'est supposé mener une vie intense. Et même s'il n'y parvient pas, ça reste beau à raconter.

Ses journées de commissaire lui offraient-elles *une vie intense* ? L'affaire du sonnet était-elle *belle à raconter* ? Viviane ne voulait pas refroidir l'enthousiasme de son adjoint. Il était si attendrissant.

— Comment saviez-vous que c'est beau à raconter ? Vous en avez entendu parler ? Il y a des policiers dans votre famille ?

Il se rembrunit.

— Mon père était brigadier. J'avais douze ans quand il a été suspendu pour une histoire de corruption. Il s'est suicidé.

Il y eut un silence épais comme un plat de riz gluant. De quoi pouvait-on parler après ça ? Viviane se lança dans le récit de quelques enquêtes sans saveur particulière, des histoires de flics qui faisaient quand même une conversation.

Monot écoutait à peine poliment. Elle finit par comprendre qu'il voulait parler d'une enquête plus intéressante, la sienne.

— Ce qui est décourageant, commissaire, c'est que plus nous avançons dans le dossier, plus les ennuis nous tombent dessus. On dirait que nous sommes le poisson-pilote, et que l'assassin nous suit pour savoir où frapper. Comme s'il voulait faire de nous des individus dangereux à rencontrer, des pestiférés. C'est peut-être quelqu'un qui vous déteste, qui veut griller votre carrière. Vous y avez pensé ?

Oui, Viviane y pensait, et même de plus en plus. Mais l'hypothèse lui faisait encore plus peur que celle de l'illuminé. Elle n'avait pas envie d'en parler, même pas avec Monot. Elle lui proposa de partir, sans prendre de dessert et le lieutenant eut un petit regard déçu. Alors qu'arrivait l'addition, il lui rappela le motif du dîner :

— Vous vouliez faire le point après mon premier mois de DPJ. Vous ne m'avez rien dit, vous êtes contente de moi ?

La commissaire avait fini par l'oublier : Monot était un débutant. Elle était toute surprise de la vitesse avec laquelle il avait su prendre sa place, elle était contente de lui et elle le lui dit pour le plaisir de le voir rougir.

CHAPITRE 15

Viviane et Monot remontaient l'avenue de Choisy quand une moto orange les croisa dans la nuit. Le conducteur tendit son bras comme pour les désigner, et le passager à l'arrière en fit autant. Mais, lui, c'était pour brandir un revolver.

Ce fut le moment où la cheville de Viviane se tordit sur son talon aiguille : Monot se pencha pour la rattraper par le bras. Toute sa vie, la commissaire allait garder ses escarpins car, au même moment, le passager avait tiré à deux reprises, juste au-dessus de leurs têtes.

La moto continua sur sa lancée : un autocar arrivait, collé derrière elle l'empêchant de faire demi-tour. Viviane et Monot étaient indemnes, mais pour combien de temps ?

— J'ai laissé mon arme de service chez moi, Monot. Vous avez la vôtre ?

Le lieutenant, aussi coquet qu'elle, ne s'en était pas encombré. Il fallait trouver autre chose. De l'autre côté de l'avenue, le parc de Choisy dormait, paisible derrière ses grilles. N'était-ce pas le meilleur endroit pour se réfugier ? Elle poussa Monot, et ils traversèrent très vite. Au loin, ils virent la moto qui faisait demi-tour au feu rouge.

Viviane comprit trop tard la stupidité de son réflexe : pourquoi n'étaient-ils pas restés sur l'autre trottoir ? Ils offraient de nouveau une cible parfaite. La moto était masquée derrière un autocar de tourisme : dans quelques secondes, elle allait apparaître. Ils devaient fuir.

Monot s'élança vers la grille du parc, fermée le soir. Il était assez grand pour l'escalader. Et Viviane ? Trop petite, trop lourde, elle ne franchirait pas l'obstacle. Monot avait raisonné aussi vite que la commissaire. Il avait fait demi-tour, s'était jeté sur elle et l'avait poussée au sol entre deux voitures stationnées à quarante centimètres l'une de l'autre. L'espace était étroit, ils tenaient à peine : Monot s'était plaqué au-dessus de Viviane et, de son manteau noir qu'il avait remonté, il couvrait leurs visages. Ils entendirent la moto arriver et monter sur le trottoir.

L'engin passa au ralenti à quelques pas de leur cachette et s'arrêta dix mètres plus loin, devant la grille. Les tueurs devaient se demander si les deux flics l'avaient escaladée. Viviane et Monot ne bougeaient pas : si le blanc de la gabardine dépassait, si la pâleur de leurs visages émergeait du grand manteau noir, ils étaient perdus : les motards les verraient.

Protégée par Monot, Viviane sentait ce corps chaud, immobile sur le sien, et elle en ressentait une étrange volupté. Il lui sembla soudain, était-ce le galanga ? Oui, il lui sembla que le lieutenant aussi y prenait un plaisir grandissant… Quel gamin, c'était bien le moment ! Sans qu'elle sache pourquoi, le blanc de sa gabardine, le noir du manteau de Monot, ce trouble qui l'envahissait, lui rappelaient quelque chose. Brusquement, ça lui revint :

Hanches et seins blafards, ventre et cuisses d'ébène,
Ne sont plus qu'un grouillis de stupre et de désirs.

Viviane aurait aimé prier, comme Joa, pour vaincre la peur qu'elle sentait l'envahir, mais elle n'avait jamais appris. Alors, telle une invocation absurde, elle répéta « Hanches et seins blafards, ventre et cuisses d'ébène, Ne sont plus qu'un grouillis de stupre et de désirs, Hanches et seins blafards, ventre et cuisses d'ébène… ».

Elle entendit les motards couper le moteur puis échanger quelques mots sous leurs casques intégraux. Elle continua son invocation, deux minutes, trois minutes. Monot chuchota à son oreille :

— Maintenant, vite : ils vont bientôt revenir.

Les deux policiers se redressèrent : la grosse moto orange était toujours garée au même endroit. Et, au loin dans le parc, deux silhouettes revenaient d'un pas tranquille. Un pas de chasseur.

La commissaire et son adjoint passèrent sur le trottoir d'en face. Ils virent les tueurs escalader la grille. Monot prit soudain Viviane dans ses bras en leur tournant le dos.

— Désolé, c'est pour cacher votre truc blanc, ça se voit de loin, même dans la nuit.

— C'est une gabardine, Monot. Pas un truc, une gabardine.

Elle resta collée contre lui, frissonnante — était-ce seulement de peur ? Quand la moto s'en alla, elle se détacha enfin. Il lui semblait avoir perdu tout ascendant sur son lieutenant en quelques minutes.

— Désolée, Monot, j'ai eu un mauvais réflexe en traversant. Le vôtre, par contre, a été excellent.

Il haussa les épaules, comme s'il s'agissait d'une vétille, et lui montra de loin l'emplacement où ils étaient cachés.

— On a eu de la chance. Ce qui nous a sauvés, c'est ce support de sac-poubelle juste devant la grille : ils ont dû croire que nous l'avions utilisé pour franchir les barreaux. Qui a pu nous envoyer ces deux gars ?

Elle entraîna Monot dans l'étroite rue des Deux-Avenues.

— La tentative de meurtre est plus facile à authentifier que le sonnet, Monot : du pur Tolosa. Une moto, deux exécuteurs, c'est toujours comme ça qu'il règle ses comptes.

— Mais comment savait-il où nous trouver ?

Viviane ne répondit pas. Cette question lui faisait mal. Qui avait pu dire aux tueurs qu'elle dînait avec son lieutenant en haut de l'avenue de Choisy ? Peut-être l'avaient-ils simplement attendue à l'angle de la rue Simenon. Peut-être l'y attendaient-ils encore. *On* savait où elle habitait ?

— Monot, je vais dormir à l'hôtel. Ça vous ennuie de me raccompagner ?

Elle arrêta un taxi, et le pria de les déposer devant la DPJ. Juste à côté, il y avait un hôtel Campanile où, avec un peu d'imagination, on pouvait se croire à la campagne, loin de la ville et de ses fureurs. Le réceptionniste les vit arriver sans bagages et leur lança un bon sourire plein de complicité.

— Une chambre pour deux, je suppose ?

— Non, je suis punie, je dors toute seule.

Elle avait dit ça en plaisantant, mais quand Monot la planta là, sans une bise, quand elle le vit partir avec ses réserves d'énergie galanga, elle se sentit soudain vraiment en pénitence.

Viviane devait maintenant affronter le moment le plus pénible : la mort dans l'âme, elle appela chez lui le capitaine De Bussche. Dans quelques secondes, elle saurait qui était le Judas parmi ses hommes.

— C'est très important, capitaine : avez-vous donné à quelqu'un le nom du restaurant où je passais la soirée ?

— Oh, donné, ce n'est pas le bon mot, commissaire. Mais j'ai raconté ça à la DPJ. Ça nous a tous fait rigoler, sans méchanceté. Pourquoi ? Il y a un problème ?

Le problème, c'était que ça avait fait rigoler quelqu'un *avec* méchanceté. Elle y repensait sans parvenir à s'endormir. Dans les hôtels, on dort mal, surtout quand on a été au bout d'un revolver.

Dimanche 17 février

Viviane appela le Tout-Puissant sur son portable. Jamais elle n'avait osé, mais on ne se faisait pas assassiner tous les soirs. Il l'écoutait en haletant légèrement, il devait faire sa balade. Ou sous la couette en tentative d'activité ? Non, des aboiements s'y mêlaient, un peu trop lointains pour venir de la chambre : il était sorti promener sa chienne épagneule au Bois.

Viviane lui relata sa soirée : le Tout-Puissant ne répondait pas sauf pour entrecouper le récit de « Darling, ne mordez pas la dame », « Darling, au pied », « Darling, ici, couchée ! ». Est-ce qu'il comprenait que c'était l'assassinat d'un officier qu'on était en train de lui raconter ? Oui, car il parla enfin. Les halètements cessaient : Darling devait avoir trouvé le lieu adéquat pour l'objet de cette promenade.

— Eh bien, Viviane, ma position est claire — non, Darling, sur la route, là, pas dans l'herbe, sale fille —, vous êtes plus que jamais en danger. Et Monot aussi. Allez chercher vos affaires chez vous sous bonne garde — non, madame, ma chienne n'est pas dégoûtante — et installez-vous dans cet hôtel, même chose pour Monot — là, bonne fifille —, ce n'est pas trop cher ? C'est la maison qui paie, vous comprenez — calmez-vous, moi non plus je ne suis pas dégoûtant, j'ai un sac en plastique —, nous ferons garder l'entrée de l'hôtel par deux hommes en civil — évidemment, je la ramasse, madame, vous avez fini, Darling ? — je vous demanderai — voilà, vous êtes contente ? — d'être très prudente avant de prendre tout nouveau contact — voilà, c'est bien et maintenant allez jouer —, non, ce n'est pas à vous que je parle, madame. À vous non plus, Viviane, c'est à Darling, allez, filez, ma fille, n'embêtez pas le monsieur, excusez-la, elle est gamine. Et bien sûr, pas un mot à la presse.

Pas un mot ? Une tentative d'assassinat sur deux flics, c'était un sujet tabou ?

Lundi 18 février

Monot avait appelé les protagonistes du sonnet pour demander à chacun ce qu'il faisait tandis qu'on poussait Joa sous le métro. Presque tous étaient alors seuls chez eux et n'en étaient pas sortis. Mais deux d'entre eux avaient un alibi plus solide. Xavier Baudelaire discutait accessoires chez le marchand de cycles de Beuzeville. Quant à Louis Saint-Croÿ, il se faisait interviewer par un journaliste radio. Monot avait consigné les faits dans un grand tableau qu'il montra à Viviane.

— C'est étrange, dans le cas de Mme Blum, ils avaient tous un alibi en béton sauf Baudelaire, Saint-Croÿ et Joa. Là, c'est le contraire. Comme si on s'amusait à nous faire tourner en bourriques.

Oui, c'était étrange. Mais quelle conclusion pouvait-elle en tirer ? *On*, qui était on ?

C'était leur deuxième jour à l'hôtel. Viviane s'y habituait, le lieutenant aussi. Ils étaient voisins de chambre et se quittaient, en fin de soirée, comme deux séminaristes. Ils ne savaient de quoi parler à table. Elle avait vérifié l'histoire de Monot père qui, hélas, était authentique : il s'était suicidé pour une broutille, des repas à l'œil dans un bistrot en remerciement de petits services. Une mort qui avait laissé stupéfaits ses supérieurs et l'IGS. Viviane n'osait pas évoquer le sujet avec son adjoint. Finalement, sous ses airs naïfs, ce type l'intimidait. Il ne se racontait guère, elle non plus. Ils restaient en surface.

Ce soir-là, pourtant, ce fut Monot qui l'entraîna en plongée, avec une question innocente, tandis qu'ils attendaient leurs soles grillées.

— Je croyais qu'un juge suivait de beaucoup plus près les dossiers qu'on lui attribuait. C'est normal, commissaire, qu'on ait si peu de contacts avec la justice sur l'affaire du sonnet ? Là, je ne sais même pas qui s'en occupe.

— C'est le juge Ludovic Bartan. Effectivement, ce n'est pas normal, c'est simplement préférable.

— Pourquoi ? Il y a un litige avec lui ?

— Mais non, Monot, quelle idée ! Nous sommes officiers de la police judiciaire. Par définition, nous ne pouvons pas avoir de litiges avec le juge. Pour moi, tout au plus des envies de meurtre.

Monot se marra. Il demanda l'histoire, comme s'il s'agissait d'une galéjade, et la commissaire hésita : son histoire était en deux moitiés. Laquelle allait-elle déballer ? Viviane choisit celle du début, la moins scabreuse.

— Nous avons été amants, il vivait chez moi. C'était une époque où je rentrais très peu à la maison. Notre équipe traquait un fou furieux qui avait mis le feu à un véhicule de service, avec deux jeunes GPX coincés dedans. L'un d'eux est mort brûlé vif et l'autre, une fille de vingt-cinq ans, est restée défigurée à vie, impossible à regarder, la pauvre. Le jour où nous avons arrêté l'incendiaire, je n'avais pas dormi depuis quarante heures quand je suis rentrée chez moi. Là, j'ai trouvé monsieur le juge au lit, avec une jeune avocate, blonde et mince, de la Conférence du Stage, vous savez, les jeunes commis d'office. Je les ai foutus dehors, lui et sa pouffe, dans la tenue où ils étaient. Et j'ai balancé leurs fringues par la fenêtre. Fin de l'épisode. Ça vous a plu ?

— Ah, je comprends, dit Monot, embarrassé par la confidence.

Non, il ne pouvait pas comprendre : il ne connaissait pas la suite. Elle hésita à lui parler de la vengeance de Ludovic : un peu plus tard, Viviane avait appris que l'avocat commis d'office pour défendre l'incendiaire de la voiture n'était autre que la jeune blonde. Et le juge Ludovic Bartan avait beaucoup aidé la stagiaire pour sa plaidoirie : on y reconnaissait même ses tournures familières. La fille avait obtenu la relaxe de l'accusé en faisant valoir une faute de procédure très subtile : la commissaire était certaine que c'était le juge Bartan qui la lui avait dénichée. Mais cela, elle ne le raconterait pas, elle savait qu'elle risquait de fondre en larmes devant Monot. Elle attendit la fin du dîner pour filer à sa chambre et pleurer seule, tout son soûl.

Mardi 19 février

L'enquête patinait. Les protagonistes lui avaient signalé des appels que l'on coupait aussitôt. Viviane le savait : elle les avait tous mis sur écoutes, sans les en informer. Elle savait même que ces coups de fil provenaient de cabines téléphoniques parisiennes, jamais les mêmes.

Priscilla Smet appela, très ennuyée :

— Je ne sais pas ce qui se passe, mais notre ministre a décidé que toutes les réunions de presse seraient supprimées. Vous êtes au courant ?

La dircom laissa planer un silence inquisiteur. Elle attendait que la commissaire la mette au parfum, mais Viviane se contenta d'un « Ah bon ! » et lui offrit à son tour un long silence, d'une épaisseur renforcée. Il en fallait plus pour abattre Priscilla Smet.

— Je ne vous laisse pas tomber. Je vous prépare une surprise : si les médias ne peuvent plus venir à vous, vous pourrez aller à eux.

Viviane lui confirma que *ah bon*, et Priscilla se résigna.

— Je vous quitte. Embrassez Augustin de ma part.

Viviane raccrocha. Elle appela Monot dans son bureau :

— Penchez-vous, Augustin, j'ai un message de la part de Priscilla.

Il s'inclina, anxieux, et Viviane lui posa un baiser maternel sur le front.

Mercredi 20 février

La suppression des points presse n'avait pas troublé les médias : ils se passaient désormais très bien de la police pour nourrir l'actualité. Xavier Baudelaire avait ouvert la voie, et les interviews des protagonistes pullulaient ; on leur posait toujours les mêmes questions, ils donnaient toujours les mêmes réponses. Comme dans les émissions de télévision où l'on demande aux vieux comédiens de raconter les sempiternelles anecdotes que chacun connaît par cœur, c'était justement cette répétition qui créait le plaisir. Xavier Baudelaire était le plus sollicité, on ne se lassait pas de le voir décrire sa gamme de blocs, on l'aiguillait avec volupté sur Kill Mouch', « léché par vos vaches, ce bloc aux algues est magique, il confère à leur sueur une odeur répulsive pour les mouches et tiques ».

Quelques innovations quand même : Christophe Le Marrec annonçait qu'il allait prendre la succession d'Astrid Carthago. Il était son disciple, Astrid l'avait formé aux techniques de communication avec l'éther. Il s'y résolvait à la demande de nombreux et fidèles clients. Il se faisait appeler *le mage* et posait pour les photos devant sa plaque gravée « Christus Carthago ». Patricia Mesneux laissait entendre que les cahiers de son cher Pascal seraient lourds de révélations, elle ne voulait pas en dire plus. Gary déclarait qu'il avait très simplement choisi de « faire carrière dans les médias ». Bien entendu, il embrassait cette vocation par fidélité à l'héritage paternel : Pascal Mesneux, expliquait-il, était un incroyable showman, un esprit libre, dont tous les élèves avaient gardé un grand souvenir. C'était écrit dans les journaux, ce devait être vrai. Ça allait le devenir.

Monot et Viviane dînaient ce soir-là au restaurant de l'hôtel. Ces repas réussissaient à la commissaire : quand elle commandait ses menus devant son adjoint, elle se sentait tenue à une certaine réserve. Elle suivait maintenant le régime Dukan, mais ne voulait pas qu'il le remarque. Elle en était à la phase 1, et se limitait aux viandes rouges et aux poissons qu'elle choisissait négligemment, comme sous le coup d'un caprice.

C'est en avalant son yaourt que Monot tapa du poing dans sa paume.

— Oh, j'oubliais de vous dire, il faut que vous appeliez Priscilla.

Viviane prétendit avoir laissé son portable dans sa chambre, cette pimbêche n'allait pas gâcher ce tête-à-tête. Monot lui passa le sien. Elle remarqua que la dircom était en mémoire, entrée *Priscilla*, même pas *Smet*, et ce détail la chagrina. Mais beaucoup moins que la nouvelle qu'elle apprit trente secondes plus tard : cette vilaine fée avait obtenu de France 2 une soirée spéciale sur le sonnet. On lui consacrerait l'émission *Dîners en ville* qui, habituellement, réunissait autour d'une bonne table diverses personnalités éphémères pour parler de graves problèmes encore plus éphémères. Cette fois-ci, l'animateur, Jean-Pierre Lavenu, allait convier tous les rescapés de leur affaire.

— Mais c'est hors de question, il y a des problèmes de sécurité.

— La sécurité ? Vous l'organiserez comme vous voudrez, commissaire. Ça ne se passera pas au restaurant, mais dans un studio de tournage discret, à Aubervilliers, sous la garde de votre équipe.

— Et le repas ? On peut tenter de nous empoisonner.

— Son organisation sera confiée à vos hommes :

ils le commanderont, ils l'apporteront, et la production paiera.

— Je vais en parler à notre directeur, il ne sera pas d'accord.

— Si, il le sera : le ministre juge que c'est une excellente idée.

Elle lança un ciaaaaao long comme un coup de couteau et raccrocha. Monot trouva tout cela très drôle quand Viviane le lui raconta. Il était resté très enfant, c'était ce qui faisait son charme.

Ils repartirent vers les ascenseurs pour gagner les chambres, comme d'habitude. Chaque fois, cela laissait d'ailleurs un curieux sentiment à Viviane. Mais, cette fois-ci, Monot la salua devant l'ascenseur :

— Ce soir, je fais le mur, je file par la porte de service, commissaire.

Une histoire de fille, c'était de son âge. Mais le lieutenant sembla deviner la mauvaise pensée de la commissaire.

— Ce n'est pas ce que vous croyez. Je suis baryton dans une chorale, à Saint-Sulpice, et, ce soir, j'ai une répétition : nous chantons la *Messe en si mineur* de Bach.

Du Bach ! Pourquoi ne l'invitait-il pas ? Ne voyait-il pas qu'elle en mourait d'envie ? Non, il ne pouvait même pas imaginer que Viviane écoutait Bach chez elle, il devait la croire fan de la *Star Ac'*. Elle le laissa s'enfuir en lui chuchotant : « Soyez prudent. » Il la rassura, il avait son arme de service. Elle ne pouvait en dire autant, elle avait laissé la sienne dans sa chambre.

Elle erra dans le hall désert, espérant y trouver de

la compagnie, et finit par s'installer au bar. Elle pensait à Monot, au sonnet, et se leva soudain, inquiète.

Quand mon âme vomit la beauté, le divin,
Les chœurs harmonieux et la femme trop pure...

Vite, elle devait l'appeler. *Le divin, les chœurs harmonieux* : il était parti chanter une messe à Saint-Sulpice ! Viviane était peut-être même *la femme trop pure*. En proie à un mauvais pressentiment, elle l'appela, et entendit sonner le portable de Monot dans son propre sac : elle avait oublié de le lui rendre. Tant pis. Elle remonta seule, marcha seule dans le couloir, elle ne s'était jamais sentie aussi seule que ce soir.

Cette solitude ne dura pas : quand Viviane introduisit la carte magnétique dans la serrure de sa chambre, elle sentit un souffle dans son cou, et le museau froid d'un revolver sur sa nuque. Son mauvais pressentiment, c'était pour elle : José Tolosa était là, impeccable dans un costume trois-pièces gris souris.

— Ce soir, c'est mon tour, commissaire. Vous allez gentiment redescendre avec moi sans faire de scandale.

Il glissa son arme entre les reins de Viviane, posa sur son avant-bras un imperméable Burberry's pour dissimuler l'objet, et la guida vers l'ascenseur. Elle sortit dans le hall, Tolosa la suivait, collé contre elle. Sans rien dire, Viviane essayait de jeter au personnel des regards affolés. Mais personne ne la remarqua, pas même les GPX de garde dans le hall : ils ne s'intéressaient qu'aux arrivants.

Tolosa descendit l'avenue, la poussant toujours devant lui. Le malfrat s'arrêta un peu plus loin, rue Raymond-Losserand, devant une Peugeot 607, dont il ouvrit le coffre.

— Où m'emmenez-vous ?

— Au cimetière de Montrouge, sur la tombe de ma mère. Elle est morte toute seule, sans son fils pour lui tenir la main. Je veux vous entendre lui demander pardon.

— C'est tout ?

— Ensuite, je vous laisserai sur sa tombe. Vous serez comme un bouquet de fleurs. Mais de fleurs mortes, bien sûr. Allez, montez.

Il pressa plus durement le revolver dans le creux des reins de la commissaire et la fit entrer dans le coffre ; avant qu'il le referme, elle voulut gagner du temps.

— L'autre jour, avenue de Choisy, c'était vous ?

— Pas moi, mais deux de mes hommes. Ils m'ont déçu, c'est toujours le risque, quand on délègue.

— Et l'affaire du sonnet, vous y êtes pour quelque chose ? Elle a commencé en même temps que votre retour à Paris.

Le regard du truand se fit sévère, indigné.

— Pour qui me prenez-vous, commissaire ? Si je suis revenu à Paris, c'est pour m'occuper de ma mère. Vous croyez que je vais en profiter pour monter un petit coup, histoire de payer le billet de train ? Votre affaire de poésie, vous voulez savoir ce que j'en pense ?

Viviane ne connaîtrait jamais le point de vue de Tolosa sur le sonnet : elle entendit une détonation, le malfrat ouvrit la bouche, écarquilla les yeux, vacilla et s'affala sur elle. La commissaire repoussa la masse immobile et se releva : un homme avançait d'un pas grave, tenant à la main un Sig Sauer SP 2022. C'était Monot.

Viviane laissa choir Tolosa pour se jeter dans les bras de son lieutenant. Et elle pleura. Longtemps, car elle voulait que ça dure. Il lui passait doucement la main dans les cheveux et répétait :

— C'est fini, c'est fini.

— Comment avez-vous deviné ?

— Je n'ai rien deviné : j'ai simplement constaté que vous aviez gardé mon portable, et je suis venu le reprendre. Là, je vous ai vue partir avec Tolosa. Je ne suis pas assez bon tireur, je n'ai pas osé intervenir tout de suite. C'est quand vous êtes entrée dans le coffre que j'ai pu l'ajuster sans risquer de vous blesser.

Elle se pencha sur Tolosa. Plus exactement sur son cadavre. La balle avait traversé le dos, pile à hauteur du cœur. Monot se sous-estimait, c'était un excellent tireur. Il lui sourit.

— Avec tout ça, j'ai raté au moins l'introït de la messe.

Viviane téléphona à la PJ presque à regret. Elle regrettait le moment où il disait « C'est fini ». Elle aurait aimé repartir avec lui, mais elle ne pouvait laisser ce cadavre sur le trottoir, ce n'était pas le jour des encombrants.

Elle rentra à l'hôtel bien plus tard dans la nuit. Et elle appela Fabien, vite, c'était pour une urgence.

Vendredi 22 février

Pas un mot sur Tolosa dans les médias : le directeur de la PJ s'en était occupé. Le Tout-Puissant était donc vraiment tout-puissant.

En arrivant à son bureau, Viviane tomba sur une petite femme, un pruneau de noir vêtu, qui patientait sur le seuil. Elle se présenta : c'était une dame Mourinho, concierge rue Adolphe-Yvon, à Paris.

— Rue Adolphe-Yvon, demanda la commissaire, où ça se situe ?

— Au bout de l'avenue Victor-Hugo. Là où il y a la statue.

Viviane la fit aussitôt asseoir. La visiteuse expliqua qu'elle venait de sortir de l'hôpital où elle avait été retenue un mois par un douloureux problème dans le dos, la cinquième vertèbre qui… Viviane haussa joyeusement la voix :

— Allons, allons, ce n'est rien, c'est l'hiver qui fait ça. Alors, de quoi voulez-vous me parler ?

— De Pascal, le clochard. J'ai vu les articles dans les journaux. Je ne sais pas si c'est important, mais il logeait dans mon immeuble. Enfin, pas vraiment : dans le local des poubelles. Le soir, après vingt-deux heures, il les sortait pour moi sur la rue, parce que avec mon dos…

— On a toutes nos petites misères, et alors ?

— En échange, je le laissais dormir dans le local. Tôt le matin, il rentrait les poubelles, déposait ses affaires dans un carton, et s'en allait. En été, quand la nuit était belle, il me lisait des poésies puis partait dormir sur la place, derrière la statue de Victor Hugo, sous le rocher.

Minute de rêverie. C'était donc ça l'appartement de Victor Hugo. Pascal Mesneux avait à peine déformé la réalité, juste assez pour être heureux le soir, en s'endormant à l'ombre de son dieu.

La dame Mourinho ouvrit un sac, et en sortit les œuvres complètes de Victor Hugo.

— Sans lui, ce ne serait pas pareil : je vous les donne.

Viviane en fit un paquet qu'elle emporterait : elle feuilletterait ça chaque soir avant de dormir. Quand elle appela Patricia Mesneux pour lui annoncer que l'appartement de son mari était un part-time dans un local à poubelles, elle sentit monter en elle une noire allégresse.

CHAPITRE 16

Mercredi 27 février

Si Priscilla Smet était le Monsieur Loyal de la police, Jean-Pierre Lavenu, lui, était le dompteur d'otaries de la télévision. On le sentait pressé de faire exécuter à ses invités quelques gambades sous les applaudissements. Devant les caméras, il était le maître, et, ce soir, tous les autres ne seraient que des mammifères pataudss qui obéiraient à ses regards autoritaires, à ses gestes menaçants.

La porte du plateau était gardée par Kossowski, Escoubet et Juarez. À l'intérieur, De Bussche et Gamoudi veilleraient. L'équipe technique était limitée à six personnes : cameramen, preneurs de son et assistants. La commissaire les avait fait fouiller par ses hommes, qui avaient également inspecté le matériel. Le GPX Pétrel, lui, contrôlait le contrôle des vigiles à l'entrée du bâtiment. L'ordre régnait.

Viviane arriva en retard. À la porte du plateau, elle tomba sur Louis Saint-Croÿ qui l'accueillit comme s'il recevait chez lui :

— Oh, c'est formidable que vous ayez pu venir ! Il ne manquait plus que vous, je commençais à m'inquiéter.

Il ramassa la sacoche qu'il avait déposée à l'entrée, et accompagna la commissaire en lui expliquant qu'il avait apporté des documents du plus haut intérêt. Viviane s'enfuit avant qu'il ne parlât littérature.

Lavenu jubilait : le battage avait été excellent, toute la France serait ce soir devant le poste, les autres chaînes n'auraient que des miettes d'audimat. Priscilla Smet s'était invitée, affirmant qu'elle était indispensable, mais nul ne savait à quoi. Viviane balaya la salle du regard : tous ses chers protagonistes étaient là, il ne manquait que les morts. Elle se demanda qui aurait droit au prochain requiem : Patricia Mesneux, qui arborait un décolleté avenant pour les caméras, mais qui faisait la gueule à la commissaire, comme si elle lui avait volé son appartement de l'avenue Victor-Hugo ? Gary Mesneux, qui souriait à tout le monde et commençait sa carrière dans les médias ? Louis Saint-Croÿ, qui étudiait avec les cameramen la meilleure façon de filmer ses documents du plus haut intérêt ? Joa, qui avançait péniblement sur ses béquilles en ahanant ? Laurette Saint-Croÿ, qui distribuait des cartes de visite où elle se présentait comme « Attachée de presse junior » ? Christophe Le Marrec, tout de noir vêtu et maquillé, porteur d'un lourd collier en argent ? Il semblait déjà habité par ses nouvelles fonctions de médium. Jean-Paul Cucheron, le graphologue, qui ne savait à qui parler ? Chaque fois qu'il ouvrait la bouche, son interlocuteur s'éclipsait. Xavier Baudelaire, qui se cachait sous un ridicule petit masque vénitien, découvrant la partie inférieure du visage ? Ce déguisement, qui devait lui apporter plus d'impact dans les médias, lui avait été conseillé par un ami publicitaire. Il venait de reconnaître Joa et lui demanda des nouvelles du cabaret, sans comprendre pourquoi il se faisait rembarrer.

On attendait le repas. La porte s'ouvrit : le capitaine De Bussche et le brigadier Gamoudi arrivèrent, chargés comme des rois mages et annoncèrent le menu : l'apéritif sera une kémia, dont Gamoudi s'était personnellement occupé.

— Une kémia ? demanda Cucheron, dégoûté. Qu'est-ce que c'est que ça ?

— C'est l'apéritif méditerranéen : amandes, pistaches, noix de cajou, olives noires, vertes, boutargue, kaki. J'ai fait ajouter des ajlouk de courgettes, d'aubergines, de carottes, des pommes de terre au cumin, des navets à l'orange amère, et des fenouils crus.

Gamoudi avait débité ça d'une traite, avec un sourire humaniste : cette kémia était pleine de bons sentiments.

— Ensuite, continua De Bussche, le repas sera vietnamien.

Il déballa en les annonçant des plats de bo bun cha gio, de nems, de mi sao don, de banh xeo, de bo nhung dam, de miên qua et de cha tom kho. Il aurait pu les présenter en v.f. mais la mine suspicieuse des invités semblait lui faire plaisir.

— Il n'y a rien de français ? demanda Patricia

Mesneux. Nous sommes quand même à la télévision française.

La fête commença. Le repas était déployé en buffet froid sur une table, l'apéritif sur une autre, à quelques mètres. Entre les deux, un grand porte-cintres servait de vestiaire. Chacun y laissa son manteau, son sac, pour mieux jouer des coudes. Confiant, Saint-Croÿ y abandonna même sa précieuse sacoche et se glissa aux avant-postes pour n'en plus décoller, comme si la littérature ne nourrissait pas son homme.

Chacun s'apprêtait au grand moment qui allait suivre. On s'agglutinait en répétant les belles phrases préparées depuis quelques jours, qu'on leur demanderait d'improviser devant les caméras.

La production annonça que les caméras étaient prêtes : on pouvait commencer. Jean-Pierre Lavenu tapa dans ses mains et décréta « À table ! ». On lança le générique de l'émission. Moteur, ça tourne, action. Lavenu exultait, son heure de gloire commençait.

Il s'installa au centre pour jouer modestement au président. Il avait convié la commissaire à sa droite, et Priscilla Smet à sa gauche, d'un impérial mouvement de main : comprenaient-elles bien que c'était un honneur ?

Les autres prirent place, intimidés. Le capitaine De Bussche resta debout, pour mieux surveiller la salle. Le brigadier Gamoudi qui allait s'attabler se leva, compta les invités et se mit à l'écart.

— Nous sommes treize, ça porte malheur. Je mangerai debout.

Lavenu jubila : cette phrase-là, il ne l'avait pas prévue, mais c'était excellent, très bien improvisé face aux caméras. Cela lui donnait une magnifique entrée en matière :

— Mesdames, messieurs, bonsoir. Comme vient de le dire notre brave ami le brigadier, nous parlerons ce soir d'une affaire où tout porte malheur, à commencer par les policiers qui s'en occupent.

Viviane ne répondit pas : l'animateur n'attendait que ça pour lancer les hostilités. Elle se leva pour se resservir de nems au buffet.

Déçu, Lavenu lança un tour de table : il demanda à chacun ce que l'affaire du sonnet avait changé dans sa vie. Mais dès qu'un invité ouvrait la bouche pour répondre, l'interviewer posait une autre question ou passait à l'invité suivant. Les participants étaient déroutés, peu importait, c'était lui le pilote, lui et lui seul, qui faisait l'audimat, les hôtes n'étaient que des faire-valoir.

Patricia Mesneux exposa son admiration pour l'œuvre poétique de son mari, et s'apprêtait à lire quelques stances quand Lavenu la coupa pour tendre le micro à Xavier Baudelaire, le temps de le faire parler de Kill Mouch', « Léché par vos vaches, ce bloc aux algues est magique, il confère à leur sueur une odeur répulsive pour les mouches et tiques ». Ha, ha, excellent, très drôle, et il passa à Louis Saint-Croÿ.

Ce fut lui qui s'en tira le mieux : chaque fois que Lavenu l'interrompait, le vieil autographiste élevait la voix et reprenait sa tirade au point de départ. Lavenu finit par le laisser parler : Louis Saint-Croÿ expliqua que cette affaire avait bouleversé sa vie. Il n'acceptait plus de vivre dans la terreur, il voulait protéger sa famille : il avait décidé de vendre toute sa collection d'autographes et d'éditions rares.

— Comment ? Vendre toute votre collection ? s'étonna Lavenu qui avait le sens de la théâtralisation, vous la vendez ?

— Toute ma collection, vous avez bien entendu, confirma Louis Saint-Croÿ, en essuyant un œil humide.

C'était le scoop de la soirée. On applaudit longuement, à tout hasard.

Le jeune Gary était brillant, il pouvait espérer faire à la télé la carrière dont il rêvait : il coupait la parole, interpellait tout le monde dans un savant mélange de langue lycéenne et de patois médiatique ponctué de fautes de français, appelait chacun par son prénom et conclut par les désastreuses répercussions de cette affaire sur sa préparation du bac. Il lui était acquis, ce bac, il pouvait dormir en paix durant tout le dernier trimestre.

Jean-Pierre Lavenu avait réussi à faire pleurer Laurette Saint-Croÿ, à faire transpirer Xavier Baudelaire, à faire taire Jean-Paul Cucheron. C'était un premier tour de table très réussi.

Au moment de la pause publicitaire, la meute se rua sur le buffet, il ne manquait que les clabaudements. Cinq minutes plus tard, il ne restait plus une pousse de soja : l'émission reprit, et Lavenu se tourna vers Saint-Croÿ.

— C'était quand même un fameux cochon, votre Baudelaire. Il n'est pas piqué des vers, son petit sonnet.

— Oh, s'amusa Saint-Croÿ, il a écrit bien pire. Si

vous voulez, j'ai dans ma sacoche la copie de l'original de Lola de Valence, qui lui a valu la censure des *Fleurs du Mal* :

Entre tant de beautés que partout on peut voir,
Je comprends bien, amis, que le désir balance ;
Mais on voit scintiller en Lola de Valence
Le charme inattendu d'un bijou rose et noir.

Jean-Pierre Lavenu prit un air scandalisé.

— Roooh, *le bijou rose et noir*, il a écrit ça, Baudelaire ? Montrez-nous la chose, enfin, le poème, hé, hé, pas le bijou rose et noir, ha, ha !

Saint-Croÿ se leva et partit chercher le manuscrit dans sa sacoche. La caméra le suivit. Et, comme les convives, des millions de téléspectateurs le virent se redresser, livide.

— On a mis *ça* dans ma sacoche. Qu'est-ce que je dois en faire ?

Il tenait une grenade à la main.

Seul Jean-Pierre Lavenu sut aussitôt comment réagir : d'abord sourire. Demain, toute la France parlerait de son émission. Et puis s'enfuir le premier.

Il fallut au capitaine De Bussche quelques secondes de plus pour passer à l'action : il s'approcha de Saint-Croÿ et lui ôta la grenade de la main. Doucement, très doucement : elle était dégoupillée, et la cuiller n'était retenue que par un mince élastique. Puis il demanda à Gamoudi d'ouvrir grand la porte, pour que les invités puissent sortir sans bousculade.

La scène aurait pu être très belle à filmer, mais les

cameramen avaient été les premiers à se ruer à l'extérieur, suivis de peu par les assistants et les preneurs de son.

Viviane resta sur place, tous ses hommes aussi. Elle observait les réactions de chacun : Gary Mesneux bouscula Joa pour filer plus vite. La pauvre s'empêtra dans ses béquilles et tomba en criant. Cucheron fit un grand pas au-dessus de son corps et s'en alla dignement. Louis Saint-Croÿ releva Joa, lui prit le bras. Patricia Mesneux, hagarde, parcourut la salle d'un œil affolé : elle n'avait pas vu sortir son petit Gary. Elle l'appela, il lui répondit de l'extérieur. Elle se hâta de le rejoindre. Dans la bousculade, le masque de Xavier Baudelaire avait glissé. Il ne voyait plus rien. Christophe Le Marrec le prit par la main et le guida. Laurette Saint-Croÿ pleurait. Elle remarqua soudain que la caméra vidéo abandonnée continuait à filmer, en plan fixe. Elle se découvrit en larmes sur l'écran de contrôle, et pleura encore plus fort.

Dans le studio, il ne restait plus que les policiers : Kossowski, Escoubet et Juarez, alertés, avaient remonté le courant des fuyards pour rejoindre leurs collègues.

Viviane avait appelé le service de déminage de la Sécurité civile. En attendant, elle ne voulait pas laisser tomber le capitaine, et le reste de la DPJ ne voulait pas laisser tomber la commissaire. La situation pouvait tourner au drame, mais, pour la première fois de l'enquête, Viviane était heureuse. Ils étaient tous là, ses hommes. Elle et ses hommes. Bêtement, ça lui faisait chaud au cœur. Elle découvrit la caméra qui continuait à tourner en plan large et l'écran de contrôle : le groupe des policiers était cadré, réuni autour de la commissaire. La porte s'ouvrit, c'était le GPX Pétrel venu les retrouver ; pour une fois, il souriait : « Ho, collègues, je n'allais quand même pas vous laisser seuls ! » Viviane savait que des millions de Français étaient en train de voir cette image, celle des braves flics que les médias avaient abandonnés face au danger. C'était tout un symbole, terriblement démagogique, bien sûr, mais il faisait son bonheur.

Les preneurs de son avaient emporté perches et micros, on pouvait parler tranquillement :

— Treize, ça porte malheur, je vous l'avais dit, remarqua sobrement Gamoudi.

Le capitaine De Bussche tenait toujours sa grenade dégoupillée à la main. Il demanda qui avait pu la glisser dans la sacoche de Saint-Croÿ. Ils étaient tous d'accord : c'était forcément l'un des invités. Eux seuls n'avaient pas été fouillés.

Ils tentèrent de reconstituer la soirée. La grenade avait pu être déposée soit à l'entrée, où Saint-Croÿ avait laissé la sacoche pour saluer les arrivants, soit pendant l'assaut des buffets.

— Et à votre avis, qui était visé ? Saint-Croÿ ou tout le monde ? demanda Monot.

On penchait pour tout le monde. Placé comme il était, l'élastique devait glisser au moindre mouvement. En partant, Saint-Croÿ aurait forcément déclenché l'explosion. Tous les participants y seraient passés, lui le premier.

— Tous, sauf l'assassin, corrigea De Bussche. Il aurait trouvé un prétexte pour quitter le studio avant la fin de l'émission.

Les policiers, soudain silencieux, ruminaient leurs pensées. Jamais Viviane ne les avait sentis aussi proches. S'il n'y avait pas eu Lavenu pour évoquer la gravelure des poèmes de Baudelaire, si Saint-Croÿ n'avait pas mentionné le bijou rose et noir et décidé de montrer la copie du manuscrit, que serait-il resté d'eux ? Des bras déchiquetés, des troncs ouverts, des têtes arrachées. Le cadavre de sa DPJ.

Les démineurs de la sécurité civile arrivèrent enfin, et De Bussche leur confia la grenade comme on se passe un bébé aux couches douteuses.

Dans le taxi qui les reconduisait à l'hôtel, Viviane taquina Monot :

— Vous êtes content, lieutenant ? Cette fois-ci, nous sommes vraiment dans un polar : la liste des suspects est close. L'assassin est parmi les invités. Et n'oublions pas votre amie Priscilla.

— Dans ce cas, objecta Monot, il faut ajouter Jean-Pierre Lavenu. Et De Bussche, et Gamoudi. Et même Kossowski, Escoubet et Juarez, puisque Saint-Croÿ est longtemps resté avec sa sacoche posée devant l'entrée.

Il avait dit cela très sérieusement, sans aucune nuance espiègle. La commissaire ajouta, en souriant :

— Plus le lieutenant Monot. Et la commissaire Viviane Lancier.

Le sourire ne suffit pas ; elle rit pour détendre l'atmosphère, mais Monot lui demanda gravement :

— Dans cette liste, à votre avis, l'assassin, c'est qui ?

— Je penche pour Xavier Baudelaire. Il n'a aucun mobile, il a des alibis, mais il a la plus belle tête de suspect que j'aie jamais rencontrée. Et votre avis à vous, Monot ?

— Je crois qu'ils agissent à plusieurs.

— Dans les plusieurs, vous mettez l'un de nous, un de l'open space, Monot ?

Le lieutenant ne répondit pas et lâcha un soupir qui plomba l'ambiance : il avait raison, la cène avait été belle, il n'y manquait qu'un Judas.

CHAPITRE 17

Jeudi 28 février

Viviane venait de regarder, tôt le matin, l'enregistrement de l'émission et elle en était très choquée : la caméra l'avait filmée, plan cadré sur ses fesses, quand elle s'était dirigée vers le buffet. L'objectif avait suivi sa plongée vers le bout de la table, quand elle avait attrapé les nems : son pantalon rose s'était tendu, dessinant son slip Passionata. On lui avait fait un gros cul plein écran, alors qu'elle avait perdu près de quatre kilos en dix jours. Comment aimer les médias après un coup pareil ?

Le Tout-Puissant l'appela. Lui aussi était très mécontent, puisqu'on l'était Place Beauvau.

— Le ministre n'a pas apprécié ce lamentable spectacle : la police y a montré en direct son incapacité à boucler l'enquête. Il estime que ça commence à bien faire et nous convoque aujourd'hui, à midi et demi. Vous apporterez vos fiches, une par suspect, avec pour chacun le résumé des interrogatoires, les mobiles, les alibis, afin qu'il puisse se faire une idée. Je compte sur vous, Viviane, votre carrière est en jeu.

Il avait aussitôt raccroché, lâchement : il savait bien que Viviane ne travaillait jamais comme ça. Mais, puisque le ministre voulait jouer à l'enquêteur, il ne fallait pas le contrarier. Elle annonça à tout l'open space qu'on ne pouvait la déranger sous aucun prétexte et s'attaqua rageusement aux fiches. Elle avait moins de trois heures devant elle.

Cinq minutes plus tard, Monot entra, radieux.

— J'ai dit sous aucun prétexte, rugit la commissaire.

— C'est mieux qu'un prétexte, commissaire, c'est le rapport d'autopsie d'Astrid Carthago.

— Pourquoi arrive-t-il si tard ?

— Je l'ai demandé tard. Avec ces émotions, j'avais oublié.

Elle aurait aimé le sermonner, mais n'en avait pas le temps ; elle lut très vite les feuillets, les relut, stupéfaite, et les rendit à Monot.

— Cinq fois ! Eh bien, là-haut, ses amis les morts ont dû lui faire une haie d'honneur, la pauvre. Cinq fois, ce doit être le record.

Astrid Carthago avait été tuée cinq fois. Dans l'ordre : étouffement, absorption d'une dose massive de Lexomil, asphyxie au gaz de ville, étranglement, et enfin asphyxie au gaz butane. L'étouffement aurait suffi.

— Vous avez lu la remarque sur l'étranglement, commissaire ? Pas d'empreintes, mais, d'après les traces, une main large et carrée.

Viviane hocha la tête. Elle hésitait à appeler le

Tout-Puissant. Non, elle lui ferait la surprise en arrivant au ministère. Une surprise encore plus belle, si tout se passait bien.

— Monot, appelez le procureur, et mettez-moi très vite Christophe Le Marrec en garde à vue. N'oubliez pas d'emporter ses plannings de rendez-vous. Commencez à l'interroger. Si vous aviez du nouveau avant midi, ce serait l'idéal. La procédure, ça ira, Monot ?

Il sourit, le cher ange. Une garde à vue, un interrogatoire, ce serait sa plus belle journée de flic.

— Bon courage, lieutenant, j'essaierai de passer vous donner un coup de main.

Monot était déjà parti. Il ne courait plus, il volait. Viviane se plongea dans ses fiches. Quand il ne lui en resta plus que deux à préparer, elle s'accorda une pause.

— Vous avez vu Monot avec le mage Carthago ? demanda-t-elle dans l'open space.

— Au sous-sol, répondit Juarez sans lever les yeux. Il vient de demander à Kossowski de les rejoindre.

Il avait dit ça négligemment, mais Viviane ne fut pas dupe. Juarez avait tout du collégien qui ne veut pas dénoncer un petit camarade. Au sous-sol ? Avec Kossowski ? Il y avait des soucis en perspective et la commissaire descendit les affronter.

Monot s'était installé dans une sinistre petite salle de rangement, au fond du couloir. Quelques mètres carrés, une faible lumière, un étroit vasistas mi-clos donnant sur le couloir. C'était un vrai décor d'interrogatoire pour film noir. Viviane n'entra pas : elle se contenta d'observer la scène par l'entrebâillement du vasistas.

Christophe Le Marrec était assis, blême, pathétique et burlesque dans une grande soutane violette : le lieutenant ne lui avait pas laissé le temps de se démaquiller, ni même de se changer. Monot allait et venait autour de lui, tel un fauve en cage. Dans un coin, Kossowski ôtait sa chemise, puis son débardeur. En bon boxeur, il semblait prendre plaisir à exhiber son physique d'hercule. Viviane l'observa, admirative, gourmande : le GPX n'avait pas l'ombre d'un bourrelet. Comment faisait-il ?

Monot parlait d'une voix très douce :

— Je suis ennuyé, monsieur Le Marrec. Cela fait un moment que je vous interroge gentiment, et vous ne me dites rien.

— Si, je vous ai dit que votre histoire de traces de mains larges et carrées, ça ne prouve rien. Je ne suis pas le seul en France à avoir des mains de cette forme.

— Je suis sûr que vous aurez des choses plus intéressantes à me raconter, maintenant que mon collègue est en tenue de sport. Si j'avais le temps, je ferais traîner la garde à vue, j'aurais droit à la prolongation, et en quarante-huit heures, vous finiriez par craquer. Seulement voilà, on m'a prié de faire vite. J'ai coupé la caméra, et je vous accorde un quart d'heure. Si ça ne vient pas, mon collègue va vous aider. Je sais, on n'a pas le droit de frapper, c'est illégal. Mais je n'ai pas le temps de me soucier de légalité.

Christophe menaça de se plaindre au juge. Monot

le rassura : ils feraient ça très proprement, à coups d'annuaire téléphonique, ça ne laisserait pas de trace.

— Vous vous méprenez, lieutenant. Je vous l'ai déjà expliqué, je n'avais aucun intérêt à tuer Astrid Carthago, alors qu'elle allait me coucher sur son testament.

— Hhhhan !

C'était Kossowski qui avait cogné du poing, de toutes ses forces, sur le plan de travail. Le GPX s'approcha alors de Christophe, planta ses yeux dans les siens, son nez contre son nez, et lui souffla à la face, comme un taureau.

— Pffffrr !

Christophe Le Marrec était l'enfant d'une société qui n'était plus habituée à la violence pure, sauvage, il n'en connaissait que la version télévisée. Il se tourna vers Monot, comme si le grade du lieutenant devait être un garant de civilisation. Le regard qu'il rencontra lui fit encore plus peur que celui du boxeur.

— Hhhhan !

Kossowski avait donné un deuxième coup de poing, cette fois-ci sur le dossier de la chaise du mage et s'était fait mal à la main. Heureusement, il n'en donnerait pas de troisième : Christophe avait craqué et déballait une nouvelle version des faits.

Le soir de la Saint-Valentin, Astrid avait bien insisté pour qu'il aille tenir compagnie à son père. Il avait donc pris un pot avec un ami, puis était passé voir le vieux à Clichy. Simplement passé : de là, il avait filé à côté, chez Sonia, sa petite amie de toujours, la vraie. Astrid, c'était pour l'alimentaire.

À son arrivée, Sonia avait appris à Christophe

qu'elle lui avait laissé un peu plus tôt un SMS pour lui proposer un rendez-vous directement au restaurant. Ne recevant pas de réponse, elle l'avait attendu. Christophe avait paniqué : ce portable, il l'avait oublié sur son bureau. Et si Astrid l'avait trouvé ouvert ? Si elle avait lu le message ? Il était précipitamment reparti à Paris.

Là, il avait trouvé ce qu'il craignait : Astrid devait être tombée sur le portable, avoir lu le SMS, et elle avait compris. C'était une femme triste, dépressive, qui se sentait vieillir. Le lien qui la retenait à la vie venait de se défaire. Elle avait ouvert le four de la cuisine, mis le gaz à fond, et s'y était engouffrée, tête la première. Partie pour retrouver ses amis les morts.

Christophe reprit sa respiration. Il semblait hésiter à continuer ; Kossowski se recula, et lui infligea un puissant effet de naseaux :

— Pfffrrr !

— Poursuivez, l'encouragea Monot, ça devient intéressant.

Comme il l'avait déjà raconté à la commissaire, Christophe avait tenté de sauver Astrid. Sans succès. Il était trop tard pour le gros contrat d'assurance-vie, mais il restait le beau contrat d'assurance-décès. En cas de suicide, ce contrat n'était plus valable, et le pauvre aurait tout perdu. En quelques minutes, Christophe avait improvisé la mise en scène qui devait le rendre riche : il avait déguisé ce suicide en meurtre déguisé en suicide. Ce meurtre serait tout à fait logique : le tueur de l'affaire du sonnet pouvait avoir jeté son dévolu sur Astrid, les appels téléphoniques le prouvaient. Il restait juste à rendre les choses crédibles.

Après avoir versé un verre de gin dans la bouche d'Astrid, il avait allumé le radiateur à gaz de la chambre et lui avait mis le nez dessus pour l'imprégner de l'odeur différente de celle du four : la main dans un torchon, il l'avait maintenue contre l'embout, en serrant très fort le cou, car la rigidité cadavérique avait commencé. Puis il l'avait couchée en laissant les fenêtres fermées quelques minutes avant de tout ouvrir. Il avait alors appelé les pompiers. Il ne restait plus qu'à ranger les lunettes d'Astrid et à cacher un trousseau de clefs avant leur arrivée.

Viviane regarda l'heure : il lui fallait remonter. Elle gratta à la porte, pour faire sortir Monot.

— Bien entendu, je ne suis pas descendue, je ne vous ai pas vu, mais bravo. Continuez à le cuisiner : sa version est bidonnée, même si elle est bien ficelée.

— Il a pourtant l'air sincère, commissaire.

— Bidonnée, je vous dis. Tenez, par exemple : une femme qui enverrait son amant rendre visite à son vieux père le soir de la Saint-Valentin, vous y croyez, vous ? Finissez-le, il va craquer.

Elle s'en fut : ses fiches l'attendaient, ses supérieurs aussi.

La commissaire revint, dans l'après-midi, effondrée : en la voyant arriver place Beauvau, le Tout-Puissant lui avait annoncé que le rendez-vous ministériel était annulé. Mais il pouvait annoncer à Viviane les conclusions de cette rencontre qui n'avait pas eu lieu. Tout avait déjà été décidé :

— On vous laisse trois semaines pour boucler l'enquête. Ensuite, on rapatrie le dossier à la brigade criminelle de la PJ.

— Et pour le lieutenant Monot, comment fera-t-on ? Il est supposé être mis en avant dans les médias.

— On continuera : on vous reprend le dossier, *lieutenant inclus*, ma petite Viviane.

Pour le faire fléchir, elle avait parlé au Tout-Puissant des premiers aveux de Christophe. Rien n'y avait fait.

— Non, le soir du 21 mars, on vous retire le dossier. J'ai déjà eu du mal à vous obtenir ce délai. Le ministre et sa dircom voulaient vous retirer le dossier dès maintenant.

Elle ne savait comment annoncer la nouvelle à son adjoint.

Au sous-sol, il était maintenant seul face à Christophe, et tous deux se regardaient comme des lutteurs épuisés. Monot soupira en la voyant entrer et l'entraîna dans le couloir, laissant la porte ouverte pour surveiller son suspect.

— Il s'accroche à sa version, grommela-t-il, pas moyen de l'en faire démordre. Mais j'ai une surprise pour vous, venez donc.

Christophe baissa la tête en la voyant entrer.

— Répétez à la commissaire votre histoire du *Journal du Dimanche*, cher grand mage. Elle va beaucoup l'aimer.

Christophe commença à voix basse, la main devant la bouche, comme s'il avait honte de chaque mot. Il avait raison.

— Je ne vous voulais pas de mal, commissaire. Quand vous avez appelé et donné votre nom pour le rendez-vous, j'ai compris qui vous étiez, on avait assez parlé de vous dans la presse. J'ai pensé que c'était l'occasion de faire de la pub pour le cabinet, peut-être même d'augmenter les tarifs. J'ai mis un copain en embuscade pour faire la photo le lendemain, et je l'ai expédiée au *JDD*. Ensuite, les journalistes sont venus tout seuls.

Le jeune mage semblait arguer de cette venue des journaux comme si elle devait lui conférer une immunité médiatique : il avait tout dit, il fallait le laisser tranquille. Il fut étonné de rester sur la sellette jusqu'à la fin de la journée. Viviane s'était jointe à Monot pour le cuisiner ; ils alternèrent le rôle du gentil et de la méchante, ils essayèrent la menace, l'amitié, la compréhension. En vain, Christophe répétait inlassablement sa version des faits. De guerre lasse, ils finirent par le déférer devant le juge : il y avait largement de quoi le mettre en détention provisoire, on reviendrait l'interroger plus tard.

La journée s'achevait, et Viviane n'avait pas encore eu le courage d'annoncer à Monot la décision du ministre. Elle l'invita à prendre un verre. En sortant, elle annonça :

— Allons un peu plus loin, rue Daguerre, ce sera plus discret.

Discret ? Le lieutenant avait compris qu'il allait y avoir de mauvaises nouvelles. Il afficha une tête de circonstance, comme pour aider Viviane et l'écouta, de plus en plus sombre, en buvant son demi.

— Il n'est pas question que je vous laisse tomber, commissaire. Je ne suivrai pas le dossier à la PJ.

— Ce sera un ordre, une nomination, vous ne pourrez pas refuser, Monot. Ce n'est pas comme une mutation en province.

Elle commanda un autre Perrier, et le lieutenant en fit autant : il voulait décidément rester solidaire de sa commissaire. Il lui lança un sourire de héros de film.

— Le dossier restera chez nous : trois semaines, c'est largement suffisant pour en venir à bout.

Elle n'en croyait pas un mot, lui non plus, mais elle l'aurait embrassé. De retour à son bureau, elle appela Saint-Croÿ pour qu'il vienne reprendre sa sacoche oubliée la veille au studio, dans la panique de l'évacuation. Elle tomba sur Laurette, qui accepta de venir la chercher le lendemain à la première heure : très pris par la préparation de la vente de sa collection, son père était absent.

Vendredi 1er mars

Laurette fit son entrée dans le bureau de la commissaire, fraîche et bougonne : elle aurait préféré que Viviane se déplaçât pour rapporter cette sacoche. Les temps étaient durs, il n'y avait plus moyen d'être servie…

Viviane tenta quelques gentillesses :

— Alors, ils étaient bons vos petits déjeuners ce matin ? Lequel était le meilleur, le premier, ou le deuxième ?

— J'ai pris directement le deuxième, papa était déjà parti.

— Tiens, au fait, dans quel café ? Il n'y en a pas beaucoup près de chez vous.

— Je ne le prends pas dans ma rue, je vais toujours à côté, au McDo des Champs-Élysées.

Elle avait dit ça sans un frémissement, sans un sourire. Ah si ! L'ahurissement de la commissaire lui arracha un sourire.

— Mais alors, Laurette, cela veut dire que vous connaissiez Pascal Mesneux ?

— Oui, de vue, je l'ai souvent entendu déclamer du Victor Hugo.

— Pourquoi ne me l'avez-vous jamais dit ?

— Je ne vous l'ai pas caché : là, j'en parle parce que j'ai l'occasion. J'aurais aussi bien pu me taire. En quoi ça aurait changé l'enquête ? On était des centaines à le croiser, au McDo.

Le plus triste, c'était qu'elle avait raison. Ça n'aurait rien changé à l'enquête.

— Et vous en avez parlé à votre père ?

— C'est possible. Je ne crois pas. De toute façon, quand je lui parle, il ne m'écoute pas. Je peux m'en aller ?

— Une seconde, dit Viviane en ouvrant son tiroir. Je voudrais savoir d'où vient cette photo.

C'était celle de Joa nue, esquissant son pas de danse. Laurette rougit.

— Elle vient de chez moi, vous le savez bien.

— Elle n'y est pas arrivée toute seule. Joa vous l'a offerte ?

Laurette rougit encore plus.

— Non, sûrement pas, je l'ai piquée à…

— Votre frère, c'est ça ?

— Non, à mon père. Ça me rendait furieuse qu'elle pose comme ça pour lui, et qu'il la garde dans le même tiroir que les photos de maman.

Viviane raccompagna la petite avant qu'elle ne pleure. Il fallait vraiment boucler cette enquête, elle ne pouvait plus continuer à se tromper tout le temps.

Lundi 4 mars

Louis Saint-Croÿ passa faire une visite de courtoisie :

— Merci pour la sacoche, commissaire. C'est très aimable, je suis tellement pris par cette vente, vous savez ce que c'est.

Viviane lui confessa que non : elle avait rarement eu à se défaire d'une collection d'autographes.

— Dès que vous possédez une belle collection de quoi que ce soit, mieux vaut la vendre aux enchères, expliqua Saint-Croÿ. Si elles ne montent pas assez, on fait jouer le prix de réserve qui permet de reprendre la pièce.

Viviane n'osa pas avouer qu'elle n'avait qu'une belle collection de suspects. Elle demanda à Saint-Croÿ pourquoi il ne vendait pas directement ses autographes à des collectionneurs, cela semblait tellement plus simple. Le vieil autographiste eut un rire indulgent.

— Oh non ! Il faut tout mettre aux enchères. Pour une collection comme la mienne, les plus belles pièces feront grimper la valeur des autres. Il y aura plusieurs rapaces qui s'exciteront mutuellement, les enchères monteront au-delà du raisonnable. Mais ça ne vous intéresse peut-être pas, mes histoires ?

— Tout m'intéresse. Votre fille aussi. Et Pascal Mesneux. Vous saviez qu'elle le connaissait ? Elle vous en avait parlé ?

Le silence de Saint-Croÿ fut interminable.

— Je ne sais pas. Peut-être. Quand elle me parle, je décroche : ses histoires sont sans intérêt. De toute façon, que je vous réponde oui ou non, qu'est-ce que ça change dans cette enquête ?

Il la laissa penaude : avec les Saint-Croÿ, tout ce qu'elle découvrait ne changeait jamais rien.

CHAPITRE 18

Mercredi 13 mars

Rien n'avait avancé.

Christophe Le Marrec, interrogé plusieurs fois, s'enfermait dans sa version des faits. Les plannings de ses rendez-vous n'avaient été d'aucune utilité, la majorité des noms étant des pseudonymes. Le mage prétendait ne pas connaître la véritable identité des visiteurs : depuis qu'il avait repris le cabinet, les fiches étaient systématiquement détruites chaque fin de semaine. C'était, affirmait-il, une garantie de confidentialité.

La grenade avait été identifiée, elle venait de Russie. Les seules empreintes qu'elle portait étaient celles de Saint-Croÿ et du capitaine De Bussche.

Le Tout-Puissant harcelait la DPJ. Il voulait des résultats. Viviane avait perdu cinq kilos. Maintenant qu'elle était en phase deux du régime Dukan, elle commençait à flotter dans son ensemble Caroll rose, n'était-ce pas un beau résultat ? Mais elle n'osait pas en faire état.

Le lieutenant Monot lui demanda sa matinée du jeudi pour aller voir, à l'Hôtel Drouot, l'exposition de la vente Saint-Croÿ qui devait avoir lieu le samedi. Cela ne servirait évidemment à rien, mais elle n'eut pas le cœur de le lui refuser.

Jeudi 14 mars

On avait mis fin à la protection des immeubles des témoins. Elle coûtait trop cher et s'avérait inutile : les écoutes prouvaient qu'on ne menaçait plus personne.

Viviane appela les protagonistes pour leur annoncer la nouvelle et fut très mal accueillie : on leur ôtait un acquis social. Xavier Baudelaire se montra le plus contrarié de tous : il était en train de nouer des contacts très intéressants avec les éleveurs du Charolais, cet abandon risquait de ternir son image. Pourrait-on prolonger la surveillance ? Il était prêt à payer ce qu'il faudrait. Il hésita avant d'ajouter :

— Si je m'arrangeais pour être victime d'une fausse agression, ça vous poserait un gros problème ? Je ne porterais même pas plainte, j'en parlerais aux journaux, rien de plus. Ça gênerait qui, après tout ?

Vendredi 15 mars

Le Tout-Puissant avait autorisé la commissaire et son lieutenant à rentrer enfin chez eux dès ce week-end. Viviane fêta cette liberté avec Fabien au restaurant de l'hôtel et elle le regretta. Réflexion faite, elle aurait préféré un dernier tête-à-tête avec Monot. Elle le voyait de moins en moins dans la journée : elle lui confiait de petites affaires, sur lesquelles il effectuait un travail d'employé consciencieux. Bientôt, il partirait à la PJ, le dossier du sonnet aussi. Ce n'était pas le départ du dossier qui faisait à Viviane le plus de peine.

La nuit fut décevante : Fabien la trouva moins tonique qu'à l'accoutumée. Elle n'osait pas lui confesser qu'elle avait peur de gêner le jeune Monot qui dormait, ou qui essayait de dormir, de l'autre côté de la cloison.

Samedi 16 mars

Tôt le matin, elle entendit Monot qui faisait ses bagages : il l'avait prévenue, il irait les déposer chez lui avant de se rendre à la vente de la collection Saint-Croÿ.

La vraie nuit avec Fabien commença enfin. Il suffisait de libérer les chambres à quatorze heures : en attendant, ce fut Viviane qui se libéra.

Lundi 18 mars

— Alors, cette vente ?

— Vous auriez dû venir, commissaire, tout est monté très haut pendant la matinée.

Viviane aussi, mais comment expliquer cela à Monot ? La presse était dithyrambique : les enchères avaient dépassé toutes les espérances.

— Saint-Croÿ s'est montré satisfait ?

— Euphorique, commissaire. On s'est parlé un peu, il ne savait pas ce qui lui faisait le plus plaisir : se débarrasser pour toujours de Baudelaire et de cette affaire, constater que sa collection était aussi appréciée par les connaisseurs, ou savoir qu'il pourrait partir l'esprit libre en vacances avec Joa.

— Avec Joa ?

— Oui. Et il semblait ravi de pouvoir l'annoncer haut et fort, ce chenapan.

Viviane arrêta là cette conversation au déplaisant goût de fin de film. Monot sortit mais revint dix minutes plus tard, illuminé.

— Commissaire, il y a un truc bizarre, ça peut être très important.

Il lui montra le catalogue de la vente Saint-Croÿ.

— Il manque une pièce, celle qui a le plus de valeur. Saint-Croÿ ne l'a pas mise en vente. C'est le manuscrit de *La Servante au grand cœur.*

— *La Servante au grand cœur*, c'est le poème qui avait servi de référence pour l'analyse graphologique ?

Ils se regardèrent, tout excités. Il y avait un truc à comprendre, ils ne savaient pas quoi, mais il y en avait un. Ils repartirent y penser. Ce fut Viviane qui trouva, en début de soirée.

— Vous m'avez dit que Saint-Croÿ avait fait la photocopie du manuscrit de *La Servante* devant vous. Il vous l'a donnée *encore chaude* ?

— Oui et non : il l'a ramassée dans le bac de sortie de l'imprimante, et l'a rangée devant moi dans une chemise qu'il a posée sur son bureau. Je l'ai eue sous les yeux jusqu'à ce que je parte vingt minutes plus tard.

— Alors, venez vite. On prend la Clio.

Il y avait une grève des trains de banlieue ce soir-là, et ça roulait terriblement mal. C'était bien, ça laissait à Viviane le temps d'expliquer :

— Il faut poser les bons *pourquoi*. Pourquoi n'a-t-il pas mis en vente le manuscrit de *La Servante* ? Parce qu'il ne voulait pas qu'on puisse le comparer à la photocopie. Et pourquoi ne voulait-il pas qu'on les compare ? Parce que la photocopie qu'il vous a donnée pour l'analyse graphologique était une fausse, déjà préparée dans le bac de l'imprimante.

Monot la regardait éberlué, et Viviane poursuivit, joyeuse :

— Le sonnet *L'Une et l'Autre*, affirment les deux experts, est de la même écriture que ce faux. Donc c'est également un faux. Or qui l'a, le premier, jugé authentique ? Saint-Croÿ, avec sa prétendue lettre de Pierre Dupont à Ernest Prarond au sujet des *temples entr'ouverts*. Je suis sûre qu'elle n'a jamais existé. Du pipeau.

Monot hocha la tête. Il avait compris, mais semblait sceptique :

— Saint-Croÿ aurait créé un sonnet baudelairien, *L'Une et l'Autre*, et l'aurait couché par écrit avec une écriture très proche de celle de Baudelaire ? Puis il aurait recopié *La Servante au grand cœur* avec cette même écriture de façon que les experts qui feraient la comparaison authentifient forcément *L'Une et l'Autre* ? Mais enfin, où serait l'intérêt ? Et alors, pourquoi tous ces assassinats ?

— Ce pourquoi-là, je ne sais pas, Monot. Mais on va savoir.

Plus on approchait de la Seine, plus ça bouchonnait et plus Viviane s'emportait, insultant la France gréviste. Monot tentait de la calmer. « Rappelez-vous, vous ne devriez pas… »

Toute la ville n'était plus qu'un essaim furieux et immobile : la commissaire finit par abandonner la Clio sur un passage piétonnier, et s'engouffra dans le métro en compagnie de son adjoint. Il fallait pousser pour y entrer, et Monot était trop bien élevé. Elle passa devant, il la suivit. Ils étaient plaqués l'un contre l'autre, face à face. La situation était ridicule. Elle ne l'aurait supportée avec aucun autre de ses hommes. Avec lui, elle pouvait en rire.

Dix minutes plus tard, ils descendirent à Champs-Élysées-Clemenceau et coururent vers la rue Robert-Estienne. Avec ses quelques kilos de moins, elle allait presque aussi vite que lui. Était-ce Monot qui faisait un effort pour modérer son allure ?

Arrivés au pied de chez Saint-Croÿ, ils remarquèrent que l'appartement était éclairé, c'était bon signe. Ils prirent l'escalier, et cette fois-ci, ce fut Monot qui trouva, en passant le premier étage.

— Regardez, commissaire, par le vitrail.

— Regarder quoi ? On ne voit rien.

— C'est bien ce que je veux dire.

Dans les polars, c'était le moment où le héros déroulait son bel exposé devant l'assistance béate. Là, c'était la commissaire qui faisait l'assistance. Mais elle n'eut pas le temps de béer, car Monot avait foncé dans l'escalier et elle était sur ses talons.

Saint-Croÿ leur ouvrit, en manteau. L'entrée était encombrée de bagages et il ne put cacher une réaction désagréablement surprise :

— Je croyais que c'était notre taxi pour l'aéroport, il ne devrait plus tarder.

— Le taxi va certainement être en retard, ça roule très mal. Nous aurons un peu de temps pour parler, répondit Monot.

Il était souriant, détendu, comme s'il débarquait chez un ami. Il allait lui en raconter une bien bonne :

— J'ai repensé au soir où on a failli vous assassiner. Vous avez eu de la chance. Mais je crois que le tireur en a eu encore plus que vous. Comment pouvait-il savoir que vous étiez assis à votre bureau ? J'aurais volontiers admis qu'il passe devant une fenêtre transparente, et qu'il l'ouvre pour tirer en vous voyant installé. Mais quand la fenêtre est un vitrail opaque ? Vous l'imaginez ouvrir, malgré le froid qu'il faisait à cette époque — vous vous en souvenez ? — et attendre dans le noir, l'arme à la main, sans même savoir si vous allez venir, alors que n'importe qui peut le croiser ? C'est bizarre, non ? D'autant plus qu'il n'y avait personne deux minutes plus tôt dans l'escalier, quand Joa est montée. Il a suffi que le tueur arrive et ouvre le vitrail pour que vous vous asseyiez à votre bureau. Est-ce vraiment de la chance ?

Saint-Croÿ s'assit, et roula des yeux d'innocent. Captivé, il écouta Monot qui continuait :

— Ce n'est pas de la chance, c'est de l'organisation. Joa a coupé l'éclairage, elle a ouvert la fenêtre et tiré, alors que vous n'étiez même pas dans votre bureau. Elle a caché le revolver sur elle, l'a remplacé par le coupe-papier qu'elle avait préparé, probablement dans la plante verte du palier, puis a dévalé les marches en attendant que vous la rappeliez. Si un voisin était sorti sur le palier, il l'aurait vue dans la pénombre à la poursuite d'un prétendu assassin. Donc première énigme résolue, celle de la tentative d'assassinat : il n'y en a pas eu. Les autres, il va falloir en discuter.

Saint-Croÿ haussa les épaules.

— Votre version ne tient pas debout. Il y a eu des vraies morts, donc un vrai tueur, et ce ne pouvait jamais être Joa. Elle avait toujours un alibi, moi aussi. Elle était du côté des victimes, je vous rappelle qu'elle a failli mourir, poussée sous le métro…

Viviane l'interrompit ; il y avait de la fureur dans sa voix :

— Non, elle n'a pas été poussée, elle a été *poussée à se jeter* devant le métro, suffisamment tôt pour avoir une chance de s'en sortir. Poussée par vous : vous avez osé lui demander ça, parce que vous avez pris peur quand je vous ai dit, au hasard, que j'avais probablement identifié le coupable. Vous avez voulu vous innocenter en lançant l'enquête sur une autre piste.

Saint-Croÿ ne répondit rien. Il hocha la tête, en petit garçon puni.

— Je crois que nous ne prendrons pas l'avion ce soir. Avec votre permission, je vais dans mon bureau : il faut que j'annule le taxi.

— Attendez, je vous suis, dit le lieutenant.

La commissaire le prit par la manche et lui souffla à voix basse :

— Attention, Monot, il faut lancer la procédure. C'est le moment d'informer le procureur.

Il hésita un peu puis demanda, comme s'il était en faute :

— Je n'ai pas enregistré son numéro dans mon portable. Vous pourriez peut-être l'appeler, commissaire ?

Elle sortit son téléphone et vit Monot s'éloigner.

Elle ne parla pas au procureur, ni au substitut. Elle raccrocha à la troisième sonnerie, et il lui resta toute sa vie pour haïr ses minables soucis procéduraux. Si elle n'était pas restée pour appeler, rien de ce qui suivit ne serait advenu : elle aurait vu, elle aurait réagi. Là, elle se contenta d'entendre.

Il y eut d'abord des cris, comme ceux qu'échangent deux lutteurs. Puis un trottinement de béquilles dans le couloir. Elle rangea son portable, dégaina, et se lança dans l'interminable couloir. Un coup de feu, un cri, la voix de Monot, personne d'autre ne pouvait crier comme ça, puis un second coup de feu, et encore un autre cri : cette fois-ci, ce fut la voix de Joa. Dans le silence qui retomba, un hurlement déchirant emplit enfin l'appartement : celui de Viviane.

Monot était étendu : une jolie petite tache de sang décorait le bas de son blouson, à hauteur du rein droit. La voici qui s'agrandissait, devenait laide, affreuse.

Joa regardait le sang qui coulait maintenant sur la moquette, atterrée comme si elle allait devoir le nettoyer ; elle fit deux pas vers un dégât plus considérable : la moitié de la mâchoire de Saint-Croÿ arrachée par une balle. Il tenait encore au bord de sa bouche une arme que la commissaire identifia : c'était un Manurhin PP Sport.

La commissaire appela les urgences sans quitter des yeux la tragédie. Elle retenait ses larmes : dans une tragédie, on attend le tomber de rideau pour éclater en sanglots. Mais Viviane ne voulait pas que le rideau tombe, elle voulait juste que les secours arrivent très vite, comme ils l'avaient promis.

Elle regardait Joa qui accompagnait ses gestes d'un gémissement presque animal. La domestique se pencha vers Saint-Croÿ, s'agenouilla comme elle put au sol, en s'accrochant à ses béquilles, et installa son patron sur ses cuisses. Elle ne disait plus « Monsieur », mais « Louis, Louis ». Elle était toute la douleur du monde ou presque, car Viviane aussi s'était agenouillée pour accueillir entre ses bras le jeune Monot. Elles étaient là, à se regarder, à regarder leur agonisant. Elles n'étaient plus que deux Pietà.

— Qu'est-ce qui s'est passé ? demanda Viviane.

— Quand je suis entrée, votre inspecteur et Louis se battaient. Votre inspecteur lui tenait le bras écarté, pour l'empêcher de se suicider. Ils sont tombés. Dans la chute, le bras de Louis s'est plié dans le dos de l'inspecteur, le coup de feu est parti. Louis a alors ramassé le pistolet et s'est tiré une balle dans la bouche.

Monot hocha la tête, il approuvait la déposition, c'était tout juste s'il ne demandait pas à la contresigner, le pauvre. Viviane se crispa.

— Allez me chercher plein de torchons, de serviettes, vite, Joa. Il faut empêcher le sang de couler.

La commissaire n'était plus sûre, elle perdait ses notions de secourisme, elle voulait simplement que son lieutenant arrête de mourir entre ses bras. L'autre, le Saint-Croÿ, bougeait à peine.

Viviane appela à nouveau, elle voulait savoir où en étaient les secours. On lui annonça qu'ils mettraient du temps, ça roulait très mal, tout Paris était bouché. Elle insista, expliqua qu'il y avait deux hommes en train de mourir, est-ce que cela pouvait améliorer la circulation ? On lui demanda d'attendre, on raccrocha.

Joa était revenue avec une pile de torchons bien repassés. Viviane les cala sous les reins de Monot inanimé, comme s'ils pouvaient boucher ce trou qui continuait à couler. Joa la regarda agir, puis tenta de faire la même chose, c'était dérisoire, il n'y avait rien à boucher, le bas du visage de Saint-Croÿ n'était plus qu'un trou. Il finissait de mourir. Il leur restait à attendre. Et, pour Viviane, à écouter Joa qui, tout en caressant le crâne chauve de son Louis, racontait.

Elle racontait très bien. C'était du vécu.

CHAPITRE 19

C'est l'histoire d'un bon fils qui fait la fierté de ses parents. Puisque maman aime qu'on travaille, Louis est bon élève. Puisque papa aime la poésie, il lit de la poésie, le soir dans son lit ; du Baudelaire, évidemment. Il fait de solides études de lettres, conclut sa maîtrise de lettres par un remarquable mémoire : *Tristes portiques — L'architecture et l'au-delà dans l'œuvre de Charles Baudelaire*. Il épouse la fille d'un ami de son père, une jeune femme professeur de lettres qui a conquis ses parents. Dédaignant l'enseignement, Louis accepte de devenir le bras droit de son père : pour papa, il ira dénicher les manuscrits qu'on lui signale dans toute l'Europe, et parfois plus loin. Il écrit et prononce d'innombrables conférences sur Baudelaire partout où on le lui demande. Louis passe brillamment sa thèse de doctorat, *Dandysme et spiritualité chez Charles Baudelaire*. À l'approche de la cinquantaine, il hésite à se présenter, comme son idole, à l'Académie française, mais les premières visites ne sont guère encourageantes et, comme son idole encore, il y renonce. Sans chagrin, car c'était pour faire plaisir à papa qui est un peu triste depuis que maman est décédée. Bref, une vie sage et drôle comme une ligne droite.

Et voilà que papa meurt. Puis c'est le tour de l'épouse de Louis, emportée par un cancer du poumon. Louis se dit alors qu'il est grand temps de commencer à vivre. Il met à la porte la vieille domestique de la famille, et hop, dehors la servante au grand cœur ! Il embauche à sa place une jeune Camerounaise, Joa, car il a, comme Baudelaire, un faible pour les amours exotiques. Joa est belle, intelligente, douce, et seule : elle se prend d'amour pour Louis et devient vite sa maîtresse. Elle descend de la chambre de bonne à la chambre conjugale, pose ses petites touches dans l'appartement, installant même sur le balcon un jardin tropical qui fait le ravissement de Louis. Elle et lui ignorent la réprobation des rejetons Saint-Croÿ. Leur père ne s'occupe plus d'eux, il restreint son éducation à quelques points : les études, le régime de Laurette.

— Vous comprenez, commissaire, il avait toujours vécu en faisant le bonheur de tout le monde, il voulait que ce soit son tour.

— Et vous, Joa, vous étiez heureuse ?

— Bien sûr, dit-elle, en caressant le crâne chauve de son amant. À part ces histoires de manuscrits qui prenaient un peu trop de place dans sa vie.

Et Joa continua à raconter ; le récit devenait captivant, car il commençait à concerner l'enquête.

Louis aussi finit par trouver Charles Baudelaire et ses vieux papiers envahissants. C'est un peu le fantôme de papa qui traîne dans la maison. Alors il se résout à tout liquider. Mais on ne vend pas une collection comme un appartement, il faut d'abord faire grimper sa cote. Il faut faire remonter Baudelaire sur la scène de l'actualité.

L'ancien bon fils s'est mué en vieux gamin : il imagine un canular littéraire. Il crée un faux sonnet de Baudelaire, aussi scandaleux que possible, afin que les médias lui concèdent quelque place. Mais après l'écriture, reste le plus difficile : la graphie du faux.

Joa interrompit soudain son récit :

— Vous devriez rappeler les secours : s'il continue à saigner, il va mourir, votre lieutenant.

Elle avait dit ça doucement, tranquillement. Viviane composa de nouveau le numéro. On lui répondit qu'on faisait ce qu'on pouvait. Joa n'entendit pas la réponse, elle la devina en voyant la tête que faisait la commissaire :

— Dites-leur qu'on est passés à la télévision.

Cette femme impressionnait Viviane ; elle avait plus que du bon sens, de la sagesse. Elle avait compris ce monde, comme on comprend les règles d'un jeu de société et ses failles. Elle savait qu'on gagne au Monopoly avec les orange et les verts. Avant qu'on ne lui raccroche au nez, Viviane précisa :

— Faites un effort. Le lieutenant qui meurt était l'autre soir à l'émission de Lavenu. La commissaire de police qui l'accompagnait, c'est moi, et la jeune femme noire qu'on voyait à l'écran est là aussi.

Il y eut un silence au bout du fil. On lui promit qu'on arrivait et on raccrocha. Viviane eut un peu honte, elle avait planté un petit écriteau *Vu à la télé* sur les corps de Monot et de Saint-Croÿ. Mais c'était sa dernière chance. Celle de Monot, surtout.

Joa lança à Viviane un petit sourire d'encouragement, comme si c'était elle qui devait lutter contre la mort, et poursuivit son histoire.

Pour imiter l'écriture de Baudelaire, Louis Saint-Croÿ fait appel à l'informatique : il scanne des manuscrits du poète, datés des années 1840, et, à l'aide d'un logiciel *ad hoc*, reconstitue des caractères propres à Baudelaire, en trois variantes de polices, pour éviter une trop grande uniformité. Après avoir tapé le poème dans cette triple typographie, il le recopie à la main sur un papier très léger, presque transparent, en déformant ici et là certaines lettres, en inclinant parfois la feuille, en la décalant. Reste le papier : avec les nouveaux procédés de détection, un faux serait aussitôt repéré. Il fait donc, sur rhodoïd transparent, une photocopie d'un papier d'époque, une autre du texte manuscrit, les superpose et photocopie le tout. Le double du manuscrit est prêt, le canular aussi.

— Si vous l'aviez vu, le jour où le document a été terminé ! soupira Joa. Il était fier comme s'il avait déniché le *Codex* de Vinci !

— Oui, et ensuite ?

Viviane trépignait : toute son enquête prenait enfin un sens, même si la conclusion gisait, sanglante, dans ses bras. Et Joa poursuivit.

Louis va envoyer ce pseudo-manuscrit à l'Académie française, en l'adressant au « Prince des Poètes », pour être certain que l'enveloppe soit ouverte en séance. Reste à choisir l'expéditeur. Le collectionneur décide de faire d'une lettre deux coups : il va se venger de Xavier Baudelaire, un benêt qui, quelques années plus tôt, n'a pas voulu se laisser prendre à ses magouilles et l'a privé d'une pièce exceptionnelle. Louis appose au dos de l'enveloppe les initiales et l'adresse de Xavier Baudelaire. Ce nom donnera à la mystification plus de crédibilité : on croira qu'il s'agit d'un parent désireux de faire consacrer par l'Académie un document familial avant de le mettre en vente. Certes, le benêt démentira, mais personne ne sera dupe : n'a-t-il pas déjà vendu une lettre de l'illustre parent ? Ensuite, quand Louis Saint-Croÿ dénoncera l'imposture, son expertise sera célébrée, tandis que Xavier Baudelaire sera ridiculisé et traité d'escroc. La vengeance d'un collectionneur n'a pas de date de péremption.

— Je lui avais dit de ne pas faire ça, chuchota Joa. C'était une méchanceté inutile. Mais il y tenait.

— Oh, finalement, Xavier Baudelaire s'en est bien porté, ça lui a fait de la publicité, la rassura Viviane. Continuez, c'est passionnant.

Laurette a, un jour, incidemment parlé à son père du clochard qui se prend pour Victor Hugo. Il fera un messager parfait, presque fantastique : Louis Saint-Croÿ l'aborde à la sortie du McDo, lui remet l'enveloppe et cent euros, en lui promettant un deuxième billet dès qu'il aura déposé l'enveloppe. Il part l'attendre quai Conti pour s'assurer qu'il s'acquitte bien de sa mission.

Si tout se passe bien, l'Académie, puis les médias, se passionneront pour ce sonnet. Ils en discuteront l'authenticité. On fera évidemment appel au grand

Louis Saint-Croÿ, qui pourra s'amuser à faire durer le suspense, avant de conclure à la supercherie. Tout cela constituera une magnifique campagne publicitaire avant la vente aux enchères.

— C'était un plan magnifique, non ? s'émerveilla Joa. Mais voilà, rien ne s'est passé comme prévu.

Le messager n'arrive pas à destination. Il est agressé sous les yeux de Louis qui voit le clochard et son pli emportés par les pompiers. Quelques jours plus tard, il apprend qu'une commissaire a déposé l'enveloppe à l'Académie. Mais les Immortels ne pensent même pas à appeler Saint-Croÿ. Ils préfèrent oublier ce scandale qui leur a créé du tort. Et si les médias s'intéressent au sonnet, c'est uniquement parce qu'il semble porter malheur : après le clochard, c'est la commissaire qu'on tente d'empoisonner.

Louis ne comprend plus rien, sa mystification lui échappe. Un tueur inconnu — un autre collectionneur, jaloux jusqu'à la haine, ou un fanatique contempteur de Baudelaire ? — cherche-t-il à interdire la mise sur le marché de ce sonnet ? Comment a-t-il été informé ? Et pourquoi ne parle-t-on nulle part de Xavier Baudelaire ?

Avec pragmatisme, Saint-Croÿ change tout son plan. Son objectif, c'est la médiatisation, il va donc s'y employer. Puisqu'il faut être assassiné pour exister, il s'y résout : par internet, il contacte un vendeur d'armes en Belgique, et fait le voyage pour lui acheter le Manurhin. Il va ensuite se faire connaître auprès de la police, puis il invente des menaces et une tentative de meurtre qu'il met en scène avec Joa. Le résultat répond à toutes ses attentes : les médias se passionnent pour le sonnet, son mystère. Et ses victimes. Et puisqu'il faut un vrai sonnet pour exciter les foules, Louis va maintenant authentifier le faux. Le voici à la une des journaux.

— Ah, la gloire médiatique ! grommela Viviane.

Mais Joa n'avait pas fini. Elle laissa Joa poursuivre.

Quand le lieutenant décide de procéder à une expertise graphologique, Louis Saint-Croÿ trouve la parade en fabriquant un second faux. L'analyse va évidemment conclure à l'origine commune des deux textes. Plus tard, il retirera de la vente le manuscrit original de *La Servante au grand cœur*, pour éviter qu'on ne le compare un jour à la photocopie. C'est ce perfectionnisme qui le perdra.

En attendant, le tueur inconnu assassine la graphologue. C'est une aubaine pour les médias et pour Louis, qui continue à alimenter très simplement la chronique : il ne profère même pas de menaces. Dès que les journalistes livrent de nouveaux noms aux appétits du public, Louis se contente de les harceler par téléphone : il court les cabines publiques pour lancer de simples appels sans suite. Le seul qu'il laisse tranquille, c'est Cucheron, dont le nom n'a pas encore été dévoilé. Mais celui-ci sera aussi menacé par lettres, et quand Saint-Croÿ l'apprend, il se dit que ce doit être l'œuvre de l'autre, du tueur inconnu. La psychose se crée, les médias rôdent, bourdonnants. On ne parle que du sonnet. Saint-Croÿ et sa collection deviennent des vedettes de l'actualité.

— Et puis là, vous avez tout compliqué, ajouta Joa, d'un ton vindicatif. Vous vous êtes vantée de tenir une piste. Pour détourner les soupçons, Louis m'a demandé de sauter devant le métro.

La commissaire hocha une tête presque fautive et fit signe à Joa de poursuivre.

Arrive alors l'émission de télévision. Louis va jouer son va-tout. Il prépare une sacoche avec une grenade piégée. Il arrive à l'avance, et patiente à l'entrée du studio pour accueillir chacun. Il y a déposé sa sacoche ouverte. Pendant le cocktail, il laisse à nouveau traîner sa sacoche au vestiaire, aux pieds des invités : chacun pourra être soupçonné d'y avoir déposé le cadeau meurtrier, à un moment ou un autre. Il ne lui reste plus qu'à attendre un prétexte pour aller chercher cette sacoche : il le trouve en parlant du *bijou rose et noir*.

Les répercussions dans les médias sont formidables, et la vente à Drouot connaît un immense succès. Il a fallu l'arrivée de la commissaire et du lieutenant pour tout gâcher, au moment où ils allaient s'envoler pour la Hollande et fêter ça dignement.

— Pourquoi la Hollande, Joa ?

— Parce que c'est le pays que Baudelaire aimait tant, vous savez :

Là, tout n'est qu'ordre et beauté,
Luxe, calme et volupté.

— Non, je ne savais pas.

Si même les femmes de ménage donnaient à la commissaire des cours de littérature, où allait-on ! Dans l'immédiat, on allait à l'hôpital, car on entendit enfin la sirène au bas de l'immeuble. Et puisque Joa racontait si bien, elle allait lui expliquer le dénouement :

— Et l'assassinat d'Astrid Carthago ?

— Ce n'est pas nous. C'est comme pour le clochard, pour votre empoisonnement, ou pour Élisabeth Blum, ce doit être l'autre, le tueur dont parlent les journaux.

Elle avait répondu aussi simplement que si on lui avait reproché des traces de pieds sales sur la moquette. Il n'y avait donc pas une affaire du sonnet : il y avait *deux* affaires. Mais qui était l'autre, le tueur, l'illuminé ?

*

Aux urgences de la Pitié-Salpêtrière, le médecin examina le cadavre de Saint-Croÿ en secouant la tête, puis le corps de Monot en fronçant les sourcils. Il leur expliqua que le lieutenant avait perdu beaucoup trop de sang, que ça ne faciliterait pas les choses : *leur*, car Joa était restée avec la commissaire. Elle lui répétait que c'était bien le moins, et la formule paraissait étrange à Viviane. Joa insistait :

— Je ne vais pas vous laisser toute seule. De toute façon, Louis n'a plus besoin de moi, là où il est. J'irai prier plus tard.

Viviane prit la main de Joa, c'était une bonne fille.

— Et à votre avis, pourquoi s'est-il suicidé ? S'il n'avait pas de morts sur la conscience, ce n'était pas la peine.

— Pourquoi faudrait-il que ce soit *la peine* quand on se suicide ? C'est simplement le vieux fond de bon élève qui est remonté : il s'est fait surprendre en train de tricher, il n'a pas supporté ça. L'échec, la honte.

Elle avait dit ça sur un léger ton de remontrance, comme s'il eût fallu que Viviane laissât gagner son Louis.

Un autre médecin arriva et se présenta comme le docteur Gray, chirurgien au service de néphrologie :

— La balle est dans le haut du rein droit, qui est très abîmé, et il a perdu beaucoup de sang. Je ne peux pas opérer tout de suite : avant la néphrectomie, il faut procéder à un lavage du rein par une diurèse osmotique forcée au mannitol, et traiter l'infection urinaire, puis faire une transfusion. Ça va prendre quelques jours.

— Et ensuite ?

— Ensuite, on tente l'opération. Mais je ne vous garantis rien.

Le chirurgien les regarda toutes deux, d'un drôle d'œil. Il semblait gêné par une question qui le taraudait, il montra du pouce le bloc derrière lui :

— Vous étiez à l'émission de Lavenu, l'autre jour. Et votre blessé aussi, je me trompe ? Eh bien…

On sentait qu'il mourait d'envie de parler de l'émission, d'extorquer à Viviane quelques révélations qu'il ferait croustiller lors des desserts mondains, mais il eut un sursaut de décence, et s'en fut avec un autre « Eh bien… » et un interminable soupir.

Joa demanda à la commissaire de la déposer rue Robert-Estienne. Elle semblait ne pas comprendre qu'elle allait être mise en examen pour *dénonciation d'un crime imaginaire ayant exposé les forces de police à d'inutiles recherches* et entrave à l'action de la justice. Viviane ne se sentit pas le courage de le lui expliquer. Elle lui fit simplement promettre de ne pas bouger de chez elle.

Mardi 19 mars

Tous ses hommes étaient rassemblés autour de la commissaire dans l'open space. Elle leur raconta la dramatique soirée, et ils l'écoutèrent, le visage fermé : ils avaient constaté l'absence de Monot, ils savaient que l'histoire finirait mal.

Viviane en était arrivée à la confession de Joa, et elle devinait chez eux un lourd reproche qui ne serait jamais exprimé : Monot était un chien fou, imprudent, la commissaire aurait évidemment dû le cadrer.

— Juarez, vous ferez venir Joa à la DPJ ! Vous la mettrez en garde à vue. Inutile de la brusquer, elle vous dira tout ce qu'elle sait.

L'ambiance était si lourde que la commissaire fut heureuse de filer à l'hôpital.

Dans la presse du jour, pas un mot sur la tragédie. Viviane espéra de toutes ses forces qu'il en serait toujours ainsi. Elle ne voulait pas que des millions de lecteurs exercent leur droit sacré à venir vibrer au rythme du drame qu'elle vivait. C'était son chagrin à elle. Elle aurait été prête à le partager avec la mère de Monot, mais la pauvre femme avait été hospitalisée, victime d'une attaque cardiaque en apprenant l'accident de son fils. La commissaire se promettait de la remplacer auprès de Monot. Auprès d'Augustin.

Il était allongé, beau comme un gisant, beau malgré les tubes et les perfusions qui l'encombraient. Ouvrant à peine l'œil, il demanda à Viviane, d'une voix qui n'était qu'un souffle :

— Ça va ?

Le brave petit soldat, que pouvait-elle lui dire ? On avait accordé un quart d'heure à la commissaire, à condition de ne pas le fatiguer. Elle lui résuma les aveux de Joa, il hocha la tête et s'offrit une courte conclusion :

— C'est dommage, tout ça : il me plaisait tellement, ce sonnet.

D'un clignement de paupières, il lui fit signe d'approcher.

— Faites-moi un cadeau : il faut boucler l'affaire avant mon opération.

Elle le lui promit et s'en fut la larme à l'œil : c'était un cadeau d'adieu qu'il venait de demander.

Joa l'appela : elle était sortie libre de sa garde à vue, mais les enfants Saint-Croÿ l'avaient mise à la porte. Elle pouvait rester dans sa chambre de bonne pendant son mois de préavis, puis devrait décamper. La commissaire lui dit qu'elle était triste pour elle, et c'était vrai.

Mercredi 20 mars

On arrêta Viviane dans les couloirs de l'hôpital : Monot ne pouvait pas recevoir de visite ce jour-là. Il y avait eu une alerte dans la nuit, rien de grave. L'infirmière-chef se reprit aussitôt :

— Enfin, rien de grave, ce n'est pas le mot. Disons rien de définitif.

Viviane repartit infiniment triste. Elle arriva à la DPJ où régnait une choquante ambiance joyeuse. De Bussche la prit à part :

— Nous venons d'avoir un appel d'Escoubet et Pétrel : ils ont mis la main sur les complices de Tolosa.

C'était une bonne et même une excellente surprise : les types avaient été arrêtés alors qu'ils venaient de se planter sur une grosse Yamaha orange. Les motards de l'avenue de Choisy, c'étaient eux.

Ils venaient d'avouer qu'ils avaient trouvé l'adresse de Viviane en la suivant, tout bêtement. Il n'y avait donc pas eu de taupe ou d'imprudent dans cette affaire. Ni bavard ni traître. Ils pouvaient se regarder les yeux dans les yeux, surtout dans ceux de Viviane. Ah, si Monot avait été là ! Mais il était sur son lit, dans ses tubes.

Au milieu de l'après-midi, le commissariat des Halles appela :

— Nous venons d'arrêter un nommé Antoine Dupont, ça va vous intéresser.

On précisa à Viviane ce qu'il avait d'intéressant : Dupont avait été interpellé grâce à un passant qui connaissait la commissaire, un certain Gérald Tournu.

Un quart d'heure plus tard, Viviane était chez eux. Tournu l'attendait, bien droit, le regard alerte. Il la gratifia d'un sourire de limier.

— Je passais aux Halles et je l'ai reconnu : c'est mon gars du Pont-Neuf.

Le jeune était effectivement jeune. Il était assis, menotté sur sa chaise, vêtu d'un blouson décoré d'un badge de l'OM, la capuche baissée sur la tête. Viviane la releva : il était brun et frisé.

— Vous êtes sûr que c'est lui ?

Un commissaire confirma : Antoine Dupont avait avoué. Viviane se tourna vers Gérald Tournu.

— Comment l'avez-vous reconnu ?

— Le badge de l'OM sur la manche de son jogging, commissaire : il n'était pas cousu d'équerre, mais un peu de travers !

Viviane félicita le bon citoyen quadrangulaire et demanda un bureau pour interroger Antoine Dupont. Celui-ci la suivit, renfrogné.

— Qu'est-ce qu'on vous avait demandé ? De l'empêcher d'arriver à l'Académie française, ou d'intercepter sa sacoche ?

Antoine répondit par une étrange grimace. Était-ce de la moquerie, ou de l'incompréhension ? Une fois de plus, Viviane n'avait pas dû poser les bonnes questions. Il fallait faire plus simple :

— Vous saviez ce qu'il y avait dans sa besace ? Qui vous en avait parlé ?

— Lui-même, madame. J'étais aux Halles quand on l'a foutu à la porte d'un bistrot. Il s'est mis à gueuler qu'il fallait lui parler autrement, vu ce qu'il y avait dans son sac ! Évidemment, je l'ai suivi, et comme au Pont-Neuf, il n'y avait personne… Mais je ne voulais pas le tuer, c'est lui qui a résisté.

Il n'avait pas ajouté que c'était la faute du SDF, tant ça lui paraissait évident. Viviane soupira : ce n'était donc que ça, exactement comme elle l'avait pressenti au début. Elle allait raconter ça à Monot le lendemain. Ça lui ferait du bien.

Le soir, Joa appela. Le notaire avait ouvert le testament : les enfants Saint-Croÿ ne recevaient que la part réservataire, et Joa le reste, dont le bel appartement de la rue Robert-Estienne. Elle avait donné aux jeunes Saint-Croÿ un mois pour décamper. La commissaire lui dit qu'elle était contente pour elle, et c'était vrai.

CHAPITRE 20

Jeudi 21 mars

— On l'opère demain, annonça l'infirmière-chef.

Elle n'osait pas sourire à Viviane, ni prendre un air inquiet. Elle essayait d'afficher un visage neutre et c'était terrifiant. Monot était toujours là, au milieu de ses tubes. Un peu moins pâle, un peu plus vert. Viviane lui raconta les bonnes surprises de la veille. Il hocha la tête, comme si tout était en ordre. Et puisqu'elle restait à son chevet, ne sachant quoi dire, ce fut lui qui souffla :

— Il faut finir aujourd'hui. Demain…

Viviane prit son poignet, elle serrait à peine, de peur de le casser. Monot avait raison. Il fallait finir. Seule l'affaire Élisabeth Blum restait à résoudre. Mais comment ?

En sortant de l'hôpital, la commissaire reçut un SMS du Tout-Puissant. Il venait d'apprendre à envoyer des SMS, ça l'amusait. Il voulait du nouveau, comme un gamin capricieux : il fallait que Viviane l'appelle vers midi et quart.

Elle passa dans l'open space, que Monot semblait remplir de son absence. Assise devant le bureau du lieutenant, Viviane feuilleta une fois de plus le planning d'Astrid Carthago, devenu celui de Christophe. Ces noms semblaient la narguer. Ceux du matin de la Saint-Valentin semblaient encore plus factices que les autres : Martin, Dubois, Granier, Petit, Garcia, Leroy, des pseudonymes sans imagination, si tristes que Granier en paraissait presque extravagant. Il n'y avait aucun espoir de ce côté, mieux valait revoir les protagonistes, un par un. Elle commencerait par Cucheron, puisqu'il était le premier dans l'ordre alphabétique. Elle lui fixa un rendez-vous pour le début de l'après-midi.

— Je serai prise après le déjeuner, je vais réattaquer le Cucheron, annonça-t-elle à Juarez qui triait son courrier.

— Mettez le 39 × 27, commissaire.

— Le 39 × 27 ? Pourquoi dites-vous ça ?

— Pour rire : le 39 × 27, c'est le braquet le plus courant pour attaquer le Cucheron à vélo. Le Cucheron, c'est un col, un classique du Tour de France, je croyais que vous le saviez.

C'était le seul inconvénient quand on travaillait avec des hommes : ils avaient des conversations d'hommes. Elle avait parfois du mal à les arrêter. Trop tard, Juarez était lancé :

— On peut le grimper en 39 × 29, mais c'est une erreur. Il faut garder les deux dents de mieux pour le Granier.

— Le Granier ? Et qu'est-ce que c'est, le Granier ?

— C'est le col voisin, on enchaîne souvent les deux sur le Tour. Le Granier, c'est le jumeau du Cucheron : presque pareil, juste un peu plus haut, un peu plus beau. Pourquoi me regardez-vous comme ça ? Je ne savais pas que le Tour de France vous intéressait tellement.

— J'ai toujours rêvé d'être coureuse cycliste !

Et elle replongea dans le planning. C'était donc ainsi qu'on choisissait son pseudo quand on était un type comme Cucheron : on se rêvait pareil, juste un peu plus grand, un peu plus beau.

Dix minutes plus tard, elle avait trouvé dans le planning sept Granier, sept rendez-vous en un an : Jean-Paul Cucheron était plus qu'un client d'Astrid Carthago, c'était un habitué.

Elle l'appela, et celui-ci le lui confirma aussitôt, très sereinement :

— Oui, bien sûr, je la consultais régulièrement. Où est le mal ?

Où était le mal ? Il était là, Viviane en avait la certitude.

— Pourquoi ne me l'avez-vous jamais dit ?

— Pour qu'on en parle dans tous les journaux ? Ce serait très mauvais pour mon image. Vous avez vu le tort que vous a causé votre visite ? De toute façon, vous ne m'avez jamais posé la question. Si vous voulez m'en reparler, on se voit tout à l'heure.

Il avait raccroché, tranquille, innocent. *Où était le mal ?* Et pourtant, le mal était là, elle devinait son bruissement, son odeur, sa présence. Il était là, avenue de La Motte-Picquet : l'alibi de la fille ramassée sur les boulevards le soir de la Saint-Valentin n'était pas si solide. Le mal était peut-être aussi rue Cépré. Que valait le témoignage de la concierge ? Monot l'avait-il correctement interrogée ?

Un peu plus tard, Viviane se gara devant l'immeuble d'Élisabeth Blum. La concierge était absente, probablement partie chercher son fils à l'école. Sans illusion, la commissaire grimpa les escaliers à sa recherche, et redescendit bredouille, par l'ascenseur.

En refermant la porte de la cabine, elle se rappela la demande du Tout-Puissant et sortit son portable. La concierge, qui arrivait avec son petit garçon, l'interpella :

— Pas ici ! On ne peut attraper aucun réseau, il faut remonter à l'étage, ou sortir dans le hall : là, ça ne passe pas.

— Vous êtes sûre ?

— Ça fait cinq ans que je vis ici, jamais personne n'a pu téléphoner devant l'ascenseur.

Viviane s'éloigna pour appeler le Tout-Puissant. Le très cher voulait juste lui rappeler que l'enquête lui serait retirée le soir même, à minuit. Il n'avait pas osé mentionner Monot. Elle le rassura : l'enquête allait bien, elle allait mieux que son adjoint. Elle revint vers la concierge.

— Quand vous êtes arrivée, le jour du meurtre, M. Cucheron était en conversation avec Mme Blum. Vous les avez *vus* ou *entendus* parler ?

La concierge fronça les sourcils, comme si elle réglait un objectif photographique sur des souvenirs lointains. Ça y est, le point était fait :

— Les deux. J'arrivais du hall, j'ai vu ce

M. Cucheron, de dos, qui sortait de la cabine. Il a dit à Mme Blum : « Bon, chère madame, je vous laisse là ! » Elle était dans l'ascenseur, je l'ai entendue répondre deux trois mots avec sa voix de messe basse, et il l'a quittée avec un « C'est d'accord, madame Blum, on en reparle ». Il a refermé la porte quand j'arrivais devant lui et l'ascenseur est remonté. Tout ça, je l'ai déjà expliqué aux policiers.

— Mais là, vous me l'avez beaucoup mieux raconté, bravo.

Elle lui demanda les clefs de l'appartement de la défunte. Elle ne savait pas exactement ce qu'elle en ferait : l'idée était là, confuse, à mûrir. Deux heures plus tard, le graphologue arriva à la DPJ, peu aimable.

— Alors, maintenant, c'est un délit, d'avoir été client d'Astrid Carthago ? On sera nombreux, vous avez besoin de faire du chiffre ?

— Vous me suffirez, monsieur Cucheron. Je vous informe que je vais vous mettre en garde à vue.

Elle le conduisit dans le local des interrogatoires et prépara les extraits de l'article 63 du Code pénal qu'elle devrait lui lire. Elle faisait cela sans y croire, elle sentait qu'elle allait commettre une erreur.

— Je vais aviser le procureur, monsieur Cucheron. Et vous, vous êtes en droit d'appeler un proche, pour l'informer de votre situation. Le téléphone est à votre disposition.

Cucheron semblait ne pas comprendre. Son regard flottait, peiné.

— Il y a une madame Cucheron ? Vous avez une

amie ? Vous pouvez appeler une personne de votre famille, même éloignée.

Cucheron oscilla vaguement la tête. Était-ce un oui, un non ?

— Vous n'y êtes pas obligé. C'est au cas où vous auriez un problème médical. Si vous n'avez pas de famille, appelez un copain.

Cucheron restait planté. Pétrifié, douloureux.

— Ou une simple relation. Un collègue, un voisin avec lequel vous vous entendez bien.

Viviane venait de comprendre : Cucheron vivait dans le délaissement, dans une totale misère affective. Il n'avait pas de femme, pas de potes, pas de connaissances, personne pour échanger, personne pour lui signaler ses problèmes d'haleine mortifère. Il n'avait pour compagnie que les lettres incertaines d'inconnus. Cucheron ne craquerait jamais en garde à vue : il allait s'enfermer dans son silence, dans sa solitude coutumière. Il fallait lui offrir autre chose, un autre décor. Et, pour commencer, un grand sourire :

— Bonne nouvelle, je reporte la garde à vue ! Venez avec moi, Cucheron.

Elle l'emmena dans la Clio. Il ne disait plus rien, comme s'il s'accordait une prolongation de garde à vue. Elle alluma la radio et lui offrit un peu de musique classique pour détendre l'ambiance. Une voix alto s'élevait, accompagnée par un chœur et des orgues.

— Je crois que c'est du Bach, annonça Viviane, toute fière.

— Non, ça ressemble, mais c'est du Mendelssohn. Je ne sais plus le titre, c'est un psaume sur la solitude du roi Salomon, écoutez :

Il traduisait, appliqué : *« Lass', o Herr mich Hülfe finden, Neig' dich gnädig meinem Fleh'n » « Aide-moi, ô Seigneur, à trouver la paix, Penche-toi avec miséricorde sur ma plainte… Car je ne peux plus rester ainsi… » « Schwach und hülflos soll ich trauen… » « Faible et sans aide, dois-je avoir confiance… »*

Le psaume s'acheva et Viviane resta silencieuse. Il lui semblait que Cucheron lui ouvrait les portes de sa solitude : qu'allait-elle y faire ?

Elle se posait encore la question en arrivant rue Cépré. L'ascenseur était encore plus étroit qu'elle ne l'avait cru. Ils voyagèrent plaqués l'un contre l'autre, leurs souffles se mêlaient. Comment Élisabeth Blum avait-elle pu tenir ? C'était épouvantable, mais Viviane s'efforça de rester souriante, presque cordiale. Il le fallait pour la suite qu'elle commençait à entrevoir.

Elle le fit entrer chez la défunte, l'invita à s'asseoir dans un fauteuil crapaud, face à elle ; ils n'étaient séparés que par une table basse. Le cadre idéal pour une discussion entre copains. Il ne manquait qu'un armagnac et le quintet de Miles Davis.

— Pourquoi m'avez-vous fait venir ici ? demanda Cucheron.

Elle cherchait encore ses mots, son attitude. Elle devait prendre son temps, bavarder amicalement, mais pas trop : il ne lui restait guère plus d'une heure pour obtenir des aveux.

— Parce que ici, nous pouvons avoir une simple

conversation. Une garde à vue, c'est si formel, si indiscret : tous nos propos auraient été enregistrés. Une conversation, c'est plus agréable, non ?

Il souriait, inquiet. Une ombre de sourire mais il souriait, c'était bien parti. Elle en fit autant.

— Je vais vous raconter une belle histoire qui finit un peu mal. Vous pouvez l'interrompre quand vous voudrez. Sentez-vous très à l'aise : ici, c'est hors procédure, rien ne peut être retenu contre vous.

Elle s'éclaircit la voix. Elle aimait bien les aveux, surtout quand elle les faisait à la place d'autrui.

— C'est l'histoire d'un copain à moi, appelons-le Jean-Paul. Il est triste, Jean-Paul, car c'est un expert d'une grande compétence, mais ça ne se sait pas assez. Voilà qu'arrive une expertise en plein dans ses cordes, une expertise dont tous les médias vont parler… et ce n'est pas à lui qu'on la confie !

— Pourquoi l'a-t-on donnée à Élisabeth Blum ? Est-il permis de poser la question ? Elle avait des réseaux ?

Devant tant d'aigreur, elle fut tentée de le calmer, mais il ne fallait pas casser le climat, encore moins donner de réponse. Et surtout pas la vraie : Monot avait pris la liste alphabétique des experts, Blum était simplement en tête, juste avant Cucheron. Elle devait garder ce début de complicité. « Ah, ça », soupira-t-elle, et cela lui parut beaucoup. Elle poursuivit :

— Jean-Paul va donc s'imposer un moment d'humilité. Il demande un rendez-vous à la dame Blum et lui propose de travailler gratuitement avec elle sur ce dossier et de cosigner l'étude. Mais elle refuse. Tout ça, il nous l'a déjà raconté. Il trouve alors un prétexte pour entraîner sa consœur dehors. Dans l'ascenseur, face à son ennemie, Jean-Paul devient méchant et il la tue ; on y reviendra. Il a peut-être improvisé le crime, peut-être pas. Disons qu'il l'avait imaginé, un peu, comme une mauvaise pensée. J'ai bon, jusqu'ici ?

Cucheron ne répondait pas, regardait ailleurs. Il semblait attendre la suite, comme s'il ne la connaissait pas. Viviane reprit son souffle :

— Quand il sort de l'ascenseur, Jean-Paul entend la concierge qui arrive avec son fils. Et là, il fait preuve de génie : il ne s'affole pas, mais simule une conversation avec le cadavre. Il lui parle, il répond deux ou trois mots à sa place ; le petit chuchotis de Mme Blum est si facile à imiter ! Puis il appuie sur le bouton et referme la porte pour renvoyer la victime à l'étage. Il tient là un alibi increvable. Hélas, il en fait trop : à peine sorti, il donne, de la cabine voisine, ce pseudo-coup de téléphone qui aurait justifié l'annulation du déjeuner. Il ignore que la communication ne pouvait pas passer. C'est dommage, ça s'enchaînait si bien ensuite : le meurtre allait être attribué au mystérieux tueur, un de plus, un de moins… Jean-Paul n'avait alors qu'à se laisser porter par la gloire médiatique. Il a même fait monter la sauce en s'écrivant ses propres lettres de menace. Mais c'est raté et, à la fin de l'histoire, le pauvre Jean-Paul est aussi triste qu'au début.

— Et le livret lilas ? Où serait-il, dans votre version ?

— Là où il a toujours été : dans l'imagination de Jean-Paul. C'était ce que les Anglais appellent un *red herring*, un de ces harengs saurs très poivrés que les contrebandiers jetaient derrière eux pour perturber le flair des chiens policiers quand ils couraient sur leurs talons. Ça a failli marcher.

Jean-Paul Cucheron se tut. Il avait perdu, il boudait.

La commissaire n'en avait pas terminé, il fallait le faire sortir de son silence. En commençant par le plus facile :

— J'ai juste une petite question : le téléphone portable d'Élisabeth Blum, pourquoi l'avez-vous emporté ?

— Elle l'avait sorti de son sac, sans doute pour appeler quelqu'un en quittant l'ascenseur. Pendant la dispute, elle a voulu s'en servir pour me frapper. Je le lui arraché des mains, et je l'ai gardé, à cause des empreintes. C'est ce qui m'a donné l'idée du coup de téléphone.

— La dispute ! Comme vous avez de jolis mots !

Cucheron fixa Viviane avec une infinie lassitude.

Un regard de souffre-douleur suppliant qu'on le laisse tranquille. Mais Viviane avait une autre question :

— Au fait, quand vous êtes venu la voir, vous saviez déjà que vous alliez la tuer ?

Elle avait demandé ça négligemment, comme en parlant d'une broutille. Il haussa les épaules, et répondit d'une voix absente :

— Oui et non. Cela dépendait beaucoup d'elle : si elle m'avait laissé cosigner l'expertise, tout aurait été plus simple. Mais elle n'a rien voulu entendre. Du coup, il fallait que je l'emmène en voiture, pour régler ça à l'extérieur. Je lui ai proposé de déjeuner avec moi à la Grande Cascade, au bois de Boulogne, pour discuter d'accords de collaboration. J'avais pensé qu'au Bois, ce serait plus facile, plus discret.

— Donc vous aviez décidé de la tuer.

Viviane l'avait dit de façon trop pressante, mais Cucheron sembla ne pas le remarquer.

— Oui et non, je vous l'ai dit. Pour être franc, je n'étais pas sûr d'en avoir le courage. J'en avais envie, je la détestais, j'avais emporté un couteau ; mais quand je l'ai eue devant moi, toute fragile comme une vieille gamine, je ne me voyais pas lui enfoncer ça dans le ventre, la faire saigner. Vous comprenez ?

Non, elle ne comprenait pas. Elle n'avait jamais rencontré d'assassin si peu motivé. Elle préférait les clients comme Tolosa.

— Le déjeuner, elle a accepté, mais pour les accords, elle prenait ça de très haut. Je n'étais pas dupe : c'était un tir d'intimidation pour mieux négocier ses exigences. Un coup classique, avec ces gens-là, hein ?

Ces gens-là ? Surtout ne pas relever, ne pas casser le fil. Elle sentait la trappe prête à s'ouvrir, pour déverser tant de vieilles haines putrides, si peu refoulées. Elle se contenta d'un « Et alors ? ». Cucheron poursuivit, mis en confiance :

— La discussion a continué dans l'ascenseur. Là, quand j'ai commencé à parler, elle a pris un air dégoûté, en se reculant : ensuite, en me parlant, elle jouait l'écœurée, elle tournait la tête, c'était un truc tellement méprisant, insultant, elle faisait ça pour me mettre en infériorité avant de parler chiffres. Alors…

Viviane le regarda, consternée : au quatrième étage, c'était un problème de mauvaise haleine, au rez-de-chaussée c'était devenu un crime avec préméditation.

Elle lâcha :

— Alors, il a fallu que ça sorte d'un seul coup, c'est ça ?

Elle ne dit rien de plus. Il y avait tant de sentiments qu'elle aurait voulu exprimer en quelques mots : la colère, le mépris, une obscure pitié. Mais il y avait surtout ce sentiment d'urgence : des aveux écrits, inattaquables, vite. Elle regarda Cucheron avec sympathie, puis haussa et baissa les épaules comme sous le poids d'une fatalité.

Cucheron lui jeta un regard de camarade de misère.

— Oui, c'est cela, commissaire, il fallait que ça sorte.

Il soupira à son tour, et remua doucement les dents, comme s'il mâchonnait ce *ça* dont Viviane pressentait la nature. Ne pas réagir, ne pas gronder. Il fallait préserver cette relation, elle en avait besoin pour la suite.

— Et avec Astrid Carthago, c'était pareil ?

Raté : la transition avait été trop brutale. Cucheron se raidit. De nouveau sur la défensive, il avait retrouvé son regard de suspect. Il avait dû se renseigner : un second meurtre, ça lui faisait cinq années de plus.

— Non, commissaire, désolé. Ce n'était pas pareil du tout, je n'ai rien à voir avec cette affaire-là. J'étais son client, j'ai même été l'un de ses derniers, puisque je suis venu la consulter le matin, quelques heures avant sa mort. Et ça s'est arrêté là.

Le fil venait de se casser, ce serait plus compliqué. Elle n'avait aucune preuve. Elle ne voyait même pas le mobile.

— Allons, Cucheron, vous me répondez comme si nous étions en garde à vue, à quoi bon ? Je ne suis pas votre ennemie, vous le savez bien. Vous préférez la garde à vue ? Ce sera plus facile : nous avons des preuves.

— Vous bluffez, commissaire.

Il avait dit ça doucement, presque sur un ton de reproche.

Bien sûr qu'elle bluffait. Et elle ne savait comment s'y prendre. Elle ne se souvenait d'aucun polar où un commissaire utilisait le bluff pour obtenir des aveux. Tant pis :

— Cucheron, vous avez vu Astrid Carthago le 14 février, dans la matinée. Mais vous êtes revenu peu après dix-neuf heures. Le flic de garde sur le trottoir d'en face vous a vu arriver, puis repartir.

— Vous bluffez, commissaire, répondit Cucheron avec agacement. Vous bluffez : il n'y avait pas de flic sur le trottoir d'en face.

— Pas de flic ? Vous êtes sûr ?

Il resta pétrifié, face à Viviane qui s'était levée comme pour mieux l'accabler :

— Qu'en savez-vous ?

Cucheron rougit, piteux : il n'était plus qu'un gamin pris en faute. Viviane se rassit et le rassura d'un bon sourire.

— Une gaffe pareille en garde à vue ou devant le

juge, et vous êtes fichu, Cucheron. Ici, c'est juste une conversation, ce n'est pas grave. De toute façon, nous avons une autre preuve.

Elle abordait le passage difficile. Elle le laissa mijoter, tête baissée. Il finit par la relever pour lui lancer un regard affligé. C'était le moment : elle tendit la main vers les gants de Cucheron, posés bien à plat sur la table.

— Vous regardez parfois *Les Experts* à la télévision ?

Il haussa les épaules : comme si c'était son genre ! Elle pouvait y aller :

— C'est dommage. Vous auriez appris à porter des gants en coton plutôt qu'en pécari. Le coton est végétal, il ne laisse pas d'empreintes. Le pécari est un animal, il a un ADN. Saviez-vous que chaque paire de gants en pécari est taillée dans la peau du même animal, pour avoir le même type de pointillés noirs sur le fond brun ? Chaque paire de gants en pécari a donc son ADN unique. Vous permettez ?

L'ADN du pécari sur une paire de gants ! Elle imaginait la tête des flics de la brigade scientifique et leur énorme rigolade en entendant ça ! Enfilant un gant en nitrile, Viviane se saisit de la paire de gants, et la déposa gravement dans une pochette transparente. Elle savait que le rituel était toujours impressionnant pour les témoins.

— Cet ADN, on l'a retrouvé sur le visage d'Astrid Carthago, comme sur la gorge d'Élisabeth Blum. Je procède donc à l'arrestation du pécari. Et maintenant, vous me racontez ? C'est votre tour, non ?

CHAPITRE 21

Cucheron lui lança un regard accablé, mais encore un peu réticent.

— Allez, allez ! Ne faites pas le timide : ça reste entre nous.

Il déballa tout, très vite, comme pour mieux s'en débarrasser. Oui, il était client d'Astrid, et lui demandait de consulter les esprits pour valider chacune de ses expertises avant qu'il ne la présente. *Presque* chacune : dans le cas du sonnet, les délais accordés par la commissaire avaient été trop courts. Il était venu voir la Carthago un jour plus tard. Et Charles Baudelaire, convoqué par la médium, avait été formel : le manuscrit de *La Servante au grand cœur* n'était pas plus de sa main que celui de *L'Une et l'Autre*. Le second poème n'était même pas de lui.

— Vous imaginez la catastrophe commissaire ? Mes conclusions avaient déjà été annoncées dans tous les médias. J'allais être ridiculisé.

— Mais qui l'aurait su ?

— Votre adjoint, commissaire, donc tout le monde ! La Carthago m'a appelé quelques heures après notre séance pour m'annoncer que votre lieutenant lui avait demandé rendez-vous pour soumettre les deux poèmes à Charles Baudelaire.

Viviane soupira : Monot avait fait ça ! Il avait voulu enquêter un peu plus sérieusement qu'elle, et même suivre les pistes les plus absurdes ! Elle eut du mal à écouter Cucheron qui poursuivait :

— Elle m'a proposé un rendez-vous le soir même pour m'en parler : elle avait envoyé Christophe quelques heures chez son père pour être tranquille. Elle a joué cartes sur table : elle acceptait d'annuler le rendez-vous avec votre lieutenant, mais en échange d'un gros dédommagement. En clair, c'était du chantage. Si je cédais, elle allait évidemment recommencer. Je l'avais d'ailleurs prévu.

— Vous voulez dire que vous aviez prévu… de la tuer ?

Cucheron afficha un petit rictus contrarié, comme si la question eût manqué de tact.

— Là, c'était plus simple qu'avec Blum. Je n'avais pas le choix, je ne faisais que me défendre. Mais je ne suis pas un violent, je lui avais préparé une mort tranquille, indolore. Une mort qui passerait pour un suicide.

Cucheron était relancé. Son ton avait changé, il était allègre, admiratif. Ce type n'avait pas d'amis, mais il s'adorait.

Il était venu au rendez-vous avec une boîte de cachets de Lexomil finement pilés. Astrid Carthago n'était pas habituée à faire du chantage : elle l'avait reçu, embarrassée, et avait servi des jus d'orange avant de discuter argent. Cucheron avait alors demandé des glaçons. Pendant qu'elle les préparait, il avait versé le contenu de la boîte dans le verre. En buvant, elle s'était soudain arrêtée : avait-elle remarqué la présence des petits grains, ou leur goût ? Il ne le saurait jamais : elle avait posé le verre et fixement regardé son visiteur.

— C'était terrifiant, commissaire. J'avais l'impression qu'elle invoquait contre moi les esprits des enfers, Béelzéboul, Lilith, les striges, les succubes et les incubes. Alors, j'ai mis mes gants pour la forcer à boire. Elle a essayé de résister, et elle s'est étouffée.

Il conclut en expliquant comment il lui avait ensuite mis la tête dans le four, avait ouvert le gaz et fait la vaisselle avant de filer chercher une pute sur les boulevards. Il avait débité tout cela avec soin, avec fierté, comme il eût raconté une recette. Servez chaud, c'était fini, il ne savait plus quoi dire. Viviane non plus. Il lui fallait préserver ce poisseux début d'amitié qu'elle avait créé. Il fallait ça pour obtenir de vrais aveux, par écrit.

— Savez-vous que Christophe Le Marrec est en détention provisoire depuis trois semaines à cause de cette histoire ?

— Ah ça, c'est votre responsabilité, ne venez pas me le reprocher.

Viviane n'insista pas. Elle préparait ses mots pour l'estocade.

— Lui, ce n'est pas grave, il est en cellule individuelle, et il sera bientôt libre. Mais vous, Cucheron, ce sera plus compliqué. Ce soir, on va commencer la vraie garde à vue, puis l'instruction, le jugement. Et là, même avec un très bon avocat, vous en prendrez pour au moins dix ans. Dix ans d'enfer en cellule, et la vôtre ne sera pas individuelle. Dans celle où on va vous fourrer…

Elle laissa flotter le verbe, menaçant, et reprit :

— … Vous allez vous retrouver avec n'importe qui. Vos codétenus, vous ne les choisirez pas : ce seront peut-être des brutes, des pervers sexuels, ou simplement des pauvres types en manque.

Cucheron écoutait, atterré. Il n'était plus que peur et horreur.

— Vous serez peut-être le seul Blanc. *Leur* Blanc. Dix ans comme ça ! Dix ans à regretter votre solitude. Vous imaginez ?

Oui, Cucheron imaginait : il n'était plus pâle, mais vert.

— Nous sommes entre gens du même monde, Cucheron, je vais essayer de vous aider.

Le regard qu'il lui lança n'était plus le même : il semblait empreint d'une sympathie éperdue.

— Mais je vous demande un peu de coopération : rédigez-moi une belle lettre d'aveux pour ces deux affaires, et je vais vous trouver un arrangement.

Elle lui tendit un stylo, puis une feuille blanche. Il la contempla, immobile, comme s'il en admirait l'innocence.

— Vous n'avez rien à perdre, Cucheron. C'est une chance que je vous donne. Si vous n'en voulez pas, je vous confie au juge, et…

D'un mouvement de main, Cucheron l'arrêta. Il lui jeta un regard d'ami confiant et attira la feuille à lui. « Faites court, donnez quand même quelques détails, pour faire plus vrai », lui souffla Viviane.

Cucheron écrivait, avec application. Elle lui suggéra quelques verbes, quelques adjectifs. Il semblait heureux d'écrire. Il posa enfin son stylo et tendit son devoir à Viviane.

Elle relut, respira : c'étaient d'excellents aveux, même si elle n'en était pas fière. « Ajoutez qu'ils sont librement consentis, et signez. » Elle reprit la feuille de papier. Ils allaient sortir comme deux vieux complices. Et Viviane se préparait au dernier acte.

Sur le palier, elle lui passa les menottes dans le dos, se pencha sur la petite rambarde, regarda du haut des quatre étages et fit signe à Cucheron de la rejoindre :

— Vous voyez, en bas, la sortie de l'ascenseur ? Jusque-là, jusqu'au pseudo-coup de téléphone, vous étiez le plus fort. Et à partir de là, votre vie bascule : en taule, ce ne sera même plus une vie. Mais il y a l'autre solution, il y a *l'arrangement* dont je parlais : c'est de revenir au point de départ. Vous quitterez Jean-Paul Cucheron sur une bonne impression. Moi, si j'étais à votre place…

D'un simple coup de menton, elle suggéra le saut par-dessus la rambarde. Cucheron afficha une tête d'orphelin qui va perdre sa copine de DASS, et elle y répondit par un petit sourire triste.

Il resta immobile. Ce type était décevant. Moins brave qu'elle ne l'avait cru. Elle comptait sur ce suicide, elle en avait besoin. C'était même un dû, après la séance qu'elle venait de s'infliger. Mais Cucheron ne bougeait pas. Il contemplait mélancoliquement l'aplomb, comme s'il y voyait sa vie. Il semblait attendre qu'on l'aide à sauter, qu'on le pousse. C'était trop demander à Viviane. Il y avait une solution plus élégante.

Elle se retourna pour jouer avec la clef dans la serrure. Elle voulait pouvoir déclarer sur l'honneur que tout s'était passé tandis qu'elle avait le dos tourné. Elle entendait son souffle lourd.

— Vous hésitez, parce que vous craignez que ça fasse mal ? Si vous sautez la tête en avant, vous ne sentirez rien, vous mourrez tout de suite. D'ailleurs, vous ne mourrez pas vraiment, vous entrerez dans la légende des sorties glorieuses.

Le souffle se faisait plus lent, plus puissant.

— Demain, poursuivit-elle, tous les médias parleront de vous, de votre ultime défi à la société. Des pages entières, des passages au journal de vingt heures. Des inconnus viendront faire votre éloge. Je citerai vos dernières paroles. Si vous n'en avez pas, ce n'est pas grave, je demanderai au lieutenant Monot : c'est un littéraire, il vous en inventera de très belles. Elles passeront, comme vous, à la postérité.

Le souffle s'était tu. Elle entendit le bruit du corps qui s'écrasait quatre étages plus bas. Elle se retourna enfin, et descendit le retrouver au rez-de-chaussée. Il avait sauté la tête en avant.

Viviane fixait le cadavre, étonnamment sereine. Pourquoi avait-elle fait cela ? Pour éviter qu'il ne revienne sur ses aveux ? Pour effacer toute trace de cette conversation peu glorieuse ? Il y avait un peu de vérité dans tout cela, elle le savait bien. Mais la vraie réponse était plus simple. Elle avait voulu boucler l'enquête, parce qu'il y avait une folle urgence :

un cadeau à apporter à Monot qui l'attendait, sur son lit d'hôpital.

Il ne lui restait qu'à construire une belle version des faits. Une version officielle. Elle lui donnerait droit à un blâme pour imprudence, quand elle la raconterait.

Ce fut cette même version que Monot entendit, quelques heures plus tard, sur son lit de souffrance. Il sourit à Viviane. Un sourire de martyr emporté par les anges.

— Alors, notre première enquête, bouclée ?

— Bouclée, Monot, deux mois pile après avoir démarré. Et ça me fait bien plaisir. Ce qui me fait le plus plaisir, c'est qu'aucun homme de l'équipe ne soit mouillé.

Il secoua lentement la tête, il ne semblait pas d'accord. Il dit en un souffle :

— Non, pas bouclée. Il manque votre empoisonnement.

Il lança un clin d'œil faiblard, un battement d'ailes de papillon, qui la fit fondre. Elle rit de toutes ses forces. Il fallait qu'elle rie pour deux.

Elle aurait voulu ajouter qu'il restait un autre coupable, qui demeurerait innocent, forcément innocent : les médias, si beaux vus d'en bas, les médias puissants et scintillants. Les médias et la fascination qu'ils exerçaient, sur ceux qui les faisaient, sur ceux qui ne faisaient qu'y passer, et sur ceux qui en rêvaient. Les médias, vitrine de la société, qui donnaient envie à chacun d'y prendre la pose, ne serait-ce que pour crier « Regardez, c'est moi, j'y suis, j'ai réussi ! ».

Mais, elle le savait bien, ce coupable-là n'avait jamais rien pu faire de mal. Tout ça, Viviane le garda pour elle, elle ne voulait pas peiner Monot, *vous ne devriez pas*, elle ne voulait pas qu'il emporte un mauvais souvenir de sa commissaire. L'infirmière passa : la visite était finie. Viviane pouvait revenir le lendemain avant l'opération.

Vendredi 22 mars

Dans un quart d'heure, on allait emmener Monot au bloc. Viviane avait mis sa petite tenue rose dans laquelle elle flottait complètement. Elle prit la main de son lieutenant, ne sachant que dire. Quand les brancardiers arrivèrent, elle trouva enfin les mots. D'un signe, elle demanda qu'on attende devant la porte.

— Il ne faut pas mourir, Monot. Pas de blagues, on a besoin de vous à la DPJ, vous êtes un sacré bon flic.

Il était déjà assommé par la pré-médication, et se contenta de sourire, doucement. Ce n'était pas assez.

— Quand vous serez guéri, je vous inviterai à dîner aux chandelles pour fêter la fin de l'enquête, je mettrai un nouvel ensemble rose.

Elle racontait n'importe quoi, elle aurait dû avoir honte. Et Monot lui sourit, une deuxième fois. Il était si beau ce sourire, elle en voulait encore.

— Il faut vivre, parce que je vous aime beaucoup, Monot.

Pourquoi avait-il fallu qu'elle ajoute ce pitoyable « beaucoup » ?

Le sourire du lieutenant se fit plus prononcé et sembla se prolonger tandis que les brancardiers l'emportaient.

Viviane attendait dans la chambre du lieutenant. L'opération était censée durer deux heures, la quatrième venait de commencer, et la pièce lui semblait de plus en plus déserte. Elle descendit au bloc opératoire.

Le couloir était vide, lugubre. Elle vit sortir d'une salle le chirurgien néphrologue et son équipe. Ils ne lui jetèrent aucun regard, et s'éloignèrent d'un pas grave, parlant d'une voix triste.

Viviane avait compris.

Sans écouter l'ordre d'une infirmière qui, de loin, l'interpellait : « N'entrez pas, c'est interdit », la commissaire ouvrit la porte : le corps inerte d'Augustin Monot était là, sur le lit roulant, à peine couvert d'un drap que Viviane alla soulever. Ils n'avaient même pas pris la peine de lui ôter l'horrible tuyauterie. Elle s'écroula sur ce corps, l'embrassa avidement, le couvrit de larmes.

L'infirmière surgit, furieuse : « Sortez tout de suite ! » Viviane l'ignora : elle prendrait le temps qu'il fallait. Monot y avait droit, elle aussi. L'infirmière haussa la voix : « Partez. La salle de réveil est interdite au public, on va bientôt le remonter. Vous entendez ? »

Mais Viviane ne l'entendait pas, ne la voyait pas.

Seul comptait son lieutenant qui avait brièvement ouvert les yeux, et lancé un regard lointain. Ses lèvres remuèrent faiblement, et il murmura d'une voix encore pâteuse : *Attisez mon ardeur, arrachez mes soupirs !*

REMERCIEMENTS

Merci à la 3e DPJ d'exister. Elle fait de l'excellent travail et n'a donc nullement besoin du renfort de Viviane Lancier et de ses hommes, qui sont des personnages aussi imaginaires que les autres protagonistes de ce roman. Tous les faits, articles, propos et comportements mentionnés relèvent également de la pure fiction. Et c'est tant mieux pour la 3e DPJ.

Merci à Claire K. de m'avoir, le temps d'une pizza, lancé dans l'aventure de ce roman. Et de m'y avoir accompagné. Sans elle, Viviane n'aurait été qu'un triste commissaire. Il me faudrait beaucoup de pizzas pour lui exprimer toute ma gratitude.

Un merci couleur corail, aux senteurs de vanille, à Magali D. Ses lumières en matière de procédure policière, ses joyeuses interventions m'ont permis d'infléchir l'intrigue dans la bonne voie, celle des entrelacs et imbrications.

Merci à Hugues F. de m'avoir, en patientes infusions, fait savourer ses connaissances simenoniennes, sa science baudelairienne. Sans sa touche finale, je n'aurais jamais osé apporter le sonnet à l'Académie française.

Merci à Yvonne L. M. R., poétesse émérite, pour ses cours de prosodie accélérés : je croyais savoir écrire des alexandrins, je ne pondais que des bouts-rimés.

Merci au docteur Didier C. Son diagnostic et ses conseils m'ont été précieux alors que je ne savais que faire d'un lieutenant que j'avais, en quelques lignes imprudentes, blessé et déposé plusieurs jours à l'hôpital.

Merci à Françoise de M. L'allégresse qu'elle a su me faire partager dès la réception de ce manuscrit demeurera un des beaux souvenirs de ma vie d'auteur. Je savais qu'il existait pour ce texte quelques pistes de progression. Elle aussi. Elle m'y a guidé dans un excellent climat de coopération et d'exigence.

Et merci à l'oiseau dont le chant quotidien a rythmé l'écriture de ce roman.

DU MÊME AUTEUR

Aux Éditions de La Table Ronde

LA COMMISSAIRE N'A POINT L'ESPRIT CLUB, 2011

LA COMMISSAIRE N'AIME POINT LES VERS, 2010, Folio Policier n° 661

Chez d'autres éditeurs

LE FILM VA FAIRE UN MALHEUR, *Le Castor Astral*, 2009

QUI COMME ULYSSE, *Anne Carrière*, 2008

LE VERTIGE DES AUTEURS, *Le Castor Astral*, 2007

L'ÉTAGE DE DIEU, *co-édition par Le Furet du Nord et Les Éditions Jordan*, 2006

LA DIABLADA, *Anne Carrière*, 2004

Composition IGS-CP
Impression Novoprint
le 29 mai 2012
Dépôt légal : mai 2012

ISBN 978-2-07-044281-2./Imprimé en Espagne.

182296